KU-169-241

ДЕТСКАЯ МУЗЫКАЛЬНАЯ ЭНЦИКЛОПЕДИЯ

Содержание

Москва
«Астрель»
АСТ
2003

Слушаем музыку

Тебе вовсе не нужно знать все о музыкальном произведении, чтобы с удовольствием его слушать. Но ты, возможно, получишь больше удовольствия, если будешь знать немного о том, как эта музыка была написана и почему она воздействует на слушателя. Эта книга рассказывает о том, как развивались те или иные музыкальные направления и почему они волнуют публику по сей день. Когда ты поймешь, почему люди любят разную музыку, то, возможно, станешь увлекаться теми стилями, которые раньше тебя не интересовали.

Из чего состоит музыка

Прочитав эту страницу, ты узнаешь, что музыка состоит из множества компонентов. Ты поймешь, как комбинируются звуки и от чего это зависит. Ты познакомишься с обязательными элементами любого музыкального произведения. Вскоре тебе не составит труда отличить, например, рок-н-ролл 50-х годов от других стилей, так как ты будешь знать характерные рок-н-ролльные ритм, инструменты и манеру пения.

Гармония

Если звучащие вместе звуки хорошо сочетаются, то про них говорят, что они находятся в гармонии друг с другом. Чаще всего гармония сопровождает мелодию. Это делает музыку более интересной или создает желаемый эффект.

Солистка поет мелодию, а группа на заднем плане — гармонию.

Метр, или пульс

Если во время исполнения музыкального фрагмента ты будешь хлопать в ладоши, то убедишься, что попадаешь в такт. Это пульс музыки.

Ритм

Ритм — это группировка длинных и коротких звуков и пауз в такте.

Некоторые произведения могут быть основаны только на ритме. Например, соло барабана.

Тембр

Каждый музыкальный инструмент обладает особым звучанием. Выбранные для произведения инструменты придают звучанию особый колорит и окраску, то есть тембр.

Подбор музыкальных инструментов называется инструментовкой.

Мелодия

Мелодия, или мотив, — это то, что можно спеть или насвистеть. Она состоит из нот различной высоты. Понятие «высота» относится как к верхним, так и к нижним нотам. Мелодия, или мотив, также имеет и свой ритм.

Выразительность

Музыка, лишенная энергии и чувства, звучит безжизненно. Исполнитель должен передать настроение произведения с помощью акцентов и других средств.

Структура

Без структуры музыка звучала бы хаотично. Чаще всего структура произведения — это или повтор, или вариации на главную тему.

Музыкальные стили

Возможно, ты уже знаешь о таких музыкальных стилях, как рок, классика или джаз. Однако эти названия могут означать разное для тех или иных слушателей, и со временем их смысл может меняться.

В целом музыка делится на две группы: популярную и классическую. Мы расскажем о некоторых направлениях и той, и другой.

Популярная музыка

Популярную музыку чаще всего исполняют или слушают для развлечения. Ее главные особенности — легко запоминающаяся мелодия и четкий ритм.

Народная музыка

Фольклор — это традиционная, народная музыка той или иной страны. Ее обычно не записывают, а передают устно из поколения в поколение. В некоторых странах по сей день люди поют древние мелодии и танцуют под них. В других местах народную музыку уже сменили иные стили.

Джаз

Джаз возник в начале XX века. Существует несколько джазовых направлений. Одни из них слушать легко, другие сложнее для восприятия, однако многие увлекаются именно этими направлениями. В основном джазовая музыка импровизируется, то есть сочиняется по ходу исполнения.

Поп и рок-музыка

Рок-музыка — это модная молодежная музыка. Ее направления меняются довольно часто.

Название «поп» — это сокращение от слова «популярный». Так называли легкую музыку конца 40-х годов. Но этот термин так часто употребляли, что со временем «поп-музыкой» стали называть и другие стили, например соул или рэп.

Большинство людей увлекается разными стилями и жанрами. Вряд ли и ты ограничишься одним направлением, пренебрегая всеми остальными.

Классическая музыка

Классической называют серьезную музыку, написанную, как правило, в прошлые века. Такую музыку обычно исполняют перед внимательно слушающей аудиторией, которая непосредственно в самом концерте не участвует.

Почти все классические произведения записаны и изданы. О том, как читать ноты, см. с. 18—19.

Истоки классической музыки — в религиозных песнопениях и музыке, написанной для развлечения аристократии и богатой публики. Однако многие классические произведения когда-то были популярной музыкой простонародья.

В узком смысле термин «классическая музыка» относится только к европейской музыке конца XVIII— начала XIX века. В этой книге музыка этого периода именно так и называется.

Классическая музыка других периодов называется иначе: к примеру, барочная или романтическая. Об этом ты прочитаешь в следующих главах книги.

Рок- и поп-музыка

Рок- и поп-музыка — это не просто музыка для прослушивания или танцев. И та, и другая отражают стиль жизни и современные тенденции.

Рождение рока

До 1950-х годов у молодежи не было ни собственной культуры, ни музыки. Но в середине XX века произошло два важных события.

1 Была изобретена грампластинка со скоростью вращения 45 оборотов в минуту. Качество звука стало лучше, а пластинка — прочнее, чем прежняя на 78 оборотов. **С уменьшением числа оборотов длительность звучания пластинки увеличилась. Примерно до 1964 года выпускали грампластинки длительностью менее трех минут.**

2 После Второй мировой войны в США начался период процветания. У подростков появились деньги, которые они могли тратить. Ради такой аудитории стоило работать, и представители музыкальной индустрии стали ориентироваться на вкусы молодого поколения. В 50-х годах начался настоящий бум в развитии поп- и рок-музыки. Об этом ты можешь прочитать также на с. 5—6.

Количество грампластинок с записями певца Боя Джорджа и его группы, проданных в 1982 году, побило рекорд, установленный в Великобритании в 1962 году. Сегодня в этой стране еженедельно выходит около 120 новых синглов.

Истоки рока

Большинство направлений поп-музыки соединяют и развивают уже существующие стили, появившиеся задолго до возникновения поп- и рок-музыки. Как можно убедиться из приведенной ниже схемы, на поп-музыку огромное влияние оказала музыка Африканского континента. А справа перечислены и некоторые другие источники рок- и поп-музыки.

Вот названия некоторых направлений рок- и поп-музыки, на которые огромное влияние оказала африканская музыка.

Блюз

Госпел

Джаз (см. с. 10)

Калипсо (Тринидад)

Регги

Салса (Латинская Америка)

Западноафриканские ритмизованные скороговорки стали основой стилей рэп и хаус (см. с. 6).

Характерные особенности поп-музыки, например неформальная манера исполнения, заимствованы из средневековой культуры менестрелей (см. с. 16).

Поп-музыка заимствовала и народные инструменты, в частности гитару, свирель и аккордеон.

Европейская народная музыка

Гаммы* и гармонии, которые используются в поп-музыке, берут свое начало в классической музыке XVIII века.

Западноевропейская классическая музыка

В некоторых песнях для создания дополнительной тембровой окраски используются инструменты симфонического оркестра.

В 60-е годы некоторые поп-группы стали использовать индийские инструменты, чтобы придать исполнению экзотическое звучание.

Индийская музыка

* Подробнее о гаммах читай на с.19.

Направления рок-музыки

Рок-музыка меняется в зависимости от того, как каждое новое поколение музыкантов реагирует на происходящее в мире. На следующих двух страницах представлены некоторые направления рока.

Многие известные музыканты заимствуют элементы поп-музыки прошлого и настоящего и представляют публике уже свой собственный вариант. Некоторых исполнителей нельзя однозначно отнести к тому или иному стилю.

Блюз

Это музыка «черных» американцев. Многие песни — грустные. В основе мелодий блюзов — особенный звукоряд, называемый блюзовой гаммой. С 50-х годов элементы блюза появляются и в музыке «белых».

Бесси Смит: «Nobody Knows You When You're Down and Out» (1929). Джон Ли Хукер: «Ground Hog»(1950). БиБи Кинг альбом «My Kind of Blues» (1960).

Госпел

Первыми духовными (gospel) песнями были спиричуэлс* африканских рабов, обращенных в христианство. Они стали основой эмоционального стиля, широко распространенного в церквах южных штатов США.

Группа «Dixie Hummingbirds»: «Ezekiel Saw the Wheel»(1947). Группа «Staples Singers»: «We Shall Overcome»(1965). Арета Франклин: «Respect» (1967).

Ритм-энд-блюз

Чернокожие рабочие, покидавшие фермы на юге США, привнесли с собой в городскую культуру и блюзы. В 50-е годы смешение блюза с духовной музыкой, звучавшее под аккомпанемент электрогитары, получило название «ритм-энд-блюз», или сокращенно «р. и б.».

Бо Дидли: «Who Do You Love» (1956). Чак Берри: «Memphis Tennessee». Братья Ислэй: «Twist and Shout» (1962).

Кантри и вестерн

К этой категории относилась музыка бедных белых американцев 30—40-х годов XX века. По сей день в южных штатах США кантри — самый популярный стиль, избежавший влияния музыки афроамериканцев.

Хэнк Уильямс «Take These Chains from My Heart and See Me Free» (1953). Тамми Уайнетт «Almost Persuaded, D.I.V.O.R.C.E.» (1968).

Рок-н-ролл

В середине 1950-х годов белокожие подростки США открыли для себя ритм-энд-блюз. Однако радиостанции неохотно ставили в эфир музыку афроамериканцев. Тем не менее Элвис Пресли совершил настоящий прорыв, смешав р. и б. и кантри. Так родился рок-н-ролл.

Билл Хейли и его группа «Comets»: «Rock Around the Clock»(1955). Элвис Пресли: «Blue Suede Shoes» (1956). Джерри Ли Льюис: «Great Balls of Fire» (1957). Эдди Кочран: «Summertime Blues» (1958).

Соул

Соул — это смешение госпела и р. и б., хотя в 60—70-е годы так называли любую музыку афроамериканцев. Некоторые стили получили свои названия по фирмам звукозаписи (Мотаун, Филадельфия, Стакс и др.). Другие получили самостоятельные названия, к примеру фанк и диско.

Дайана Росс и группа «Supremes»: «Where Did Our Love Go» (1964). Мервин Гей: «I Heard It Through the Grapevine» (1968). Джеймс Браун: «Said It Loud, I'm Black and I'm Proud» (1968). Чик: «Le Freak» (1978). Майкл Джексон: альбом «Off the Wall» (1979).

Британский бит

Группа «The Beatles», соединив ритм-энд-блюз, рок-н-ролл и мотаун, положила начало новому стилю. Музыка группы «Rolling Stones», принадлежавшей к этому же направлению, была более тяжелой и ближе к р. и б. Основу составляли ударные, бас и две электрогитары. Ведущая роль отводилась вокалу.

«The Beatles»: «Love Me Do» (1962), «Please Please Me» (1963), «Help!» (1965). Группа «Honeycombs»: «Have I the Right?» (1964). Группа «Rolling Stones»: «Satisfaction» (1965). Группа «The Who»: «My Generation» (1965).

Тяжелый металл

Этот стиль стал невероятно популярен во всем мире. Во время концертов музыканты крушат барабаны и извлекают из электрогитар звуки, похожие на вой. К концу 60-х годов подобные приемы стали применяться также в блюзе и ритм-энд-блюзе.

Группа «Black Sabbath»: «Paranoid» (1970). Альбомы: «Led Zeppelin 2» (1969), «Motorhead» (1975), «Van Helen» (1977).

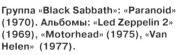

Более подробно о блюзах и спиричуэлс читай на с. 14.

Психоделика

В конце 1960-х годов некоторые музыканты стремились выразить в музыке свои ощущения, вызванные употреблением наркотиков. Используя новую студийную технологию, они старались достичь тщательно продуманных и экзотических эффектов. Порой обычная песня могла занимать целую сторону пластинки.

Альбомы: группа «Beach Boys» — «Smile» (1967), «The Beatles» — «Sergeant Pepper» (1967), «Pink Floyd» — «The Piper at the Gates of Dawn» (1967); композитор Терри Райли — «In C» (1968).

Глэм-рок

В 1970-е годы некоторые рок-звезды использовали экстремальные, фантастические эффекты во время исполнения. Их музыка получила название шикарного, блестящего рока.

Гари Глиттер: «Rock and Roll Part 2» (1972). **Альбомы:** Дэвид Боуи — «Ziggy Stardust and the Spiders from Mars» (1972), «Roxy Music» — «Roxy Music» (1972).

Регги

Стиль регги возник на Ямайке. Это смешение калипсо и менто с р. и б. В текстах песен содержатся протесты против существующих социальных условий и коррупции. В конце 1970-х годов производители грампластинок изобрели прием дублирования. Это дало возможность менять скорость звучания голоса, а также создавать эффект эха независимо от басов и ударных*.

Дэйв и Ансел Коллинс: «Monkey Spanner» (1971). **Алтеа и Донн:** «Uptown Top Ranking» (1977). **Альбомы:** Боб Марли и группа «Weilers» — «African Herbsman» (1972), Ли Перри «Super Ape» (1978).

Панк

В 1970-е годы в Англии в связи с безработицей молодежь стала пессимистичнее смотреть в будущее. Интерес к песням и образу жизни богатых рок-звезд заметно упал. Появление стиля панк стало настоящей революцией и возвращением к истокам рока: музыке молодых, отражающей их мироощущение.

Группа «Clash» — «White Riot» (1977). **Альбомы:** группа «Sex Pistols» — «Never Mind the Bollocks», «Here's the Sex Pistols» (1977); группа «Ramones» — «Ramones»(1977); группа «Slits» — «Cut» (1978).

Новая волна и постпанк

После первого взрыва на смену панкам-радикалам пришло новое, менее агрессивное поколение. В музыкальном отношении оно отличалось большей смелостью. Очень часто музыканты использовали синтезаторы.

Группа «Television»: «Little Johnny Jewel» (1977). «Talking Heads»: «Psycho Killer» (1977). Blondie: «Heart of Glass» (1977). Joy Division: «Love will Tear Us Apart» (1980).

Новый романтизм

Реакцией на панк стал в начале 1980-х годов новый отстраненный и взвешенный стиль. Группы, работавшие в этом направлении, называли новыми романтиками. Они выпускали не только диски, но и видеозаписи.

Группа «Visage»: «Fade to Grey» (1980). «Spandau Ballet»: «Chant №1» (1981). «Eurythmics»: «Sweet Dreams» (1983).

Рэп, скрэтч и хип-хоп

В начале 1980-х годов американские клубные ди-джеи на фоне инструментальной музыки с пластинок стали полупеть-полуговорить. Этот стиль назвали рэп. Повторение одной фразы с пластинки вперед и назад, получило название скрэтч. А скрэтч в сопровождении только ударной установки стали называть хип-хоп.

Kurtis Blow: «The Breaks» (1980). «Grandmaster Flash»: «Grandmaster Flash and the Wheels of Steel» (1981). Malcolm McLalen: «Buffalo Girls» (1983).

Хаус

Благодаря сэмплеру звук может быть записан и воспроизведен на любой высоте**. Музыка в стиле хаус основана на скрэтче с использованием сэмплированных звуков поверх быстрой и ритмичной линии баса. Сэмплы — это звуковые фрагменты с пластинок и даже из блоков новостей.

«Public Enemy»: «Don't Believe the Hype» (1988). «Tone Loc»: «Wild Thing» (1988). «Twin Hype»: «Twin Hype» (1989).

*Подробнее об этом читай на с. 46
** Подробнее об этом читай на с. 29

Шоу-бизнес

Шоу-бизнес — это индустрия, в которую вкладываются миллионы долларов и которая обеспечивает работой бухгалтеров, агентов, директоров рок-групп и в последнюю очередь самих музыкантов. Большинство рок-групп начинали свой творческий путь с выступлений в местных клубах и пабах. Чтобы стать известными, они помещали рекламу в газетах и сами расклеивали афиши.

На этой странице ты прочитаешь о том, сколько сотрудников необходимо, чтобы организовать гастроли одной группы.

Организация гастролей

ГЛАВНЫЙ МЕНЕДЖЕР
Главный менеджер рок-группы нанимает агента и менеджера по организации гастролей.

АГЕНТ
Представляет директору и продюсеру расписание гастролей.

МЕНЕДЖЕР ПО ОРГАНИЗАЦИИ ГАСТРОЛЕЙ
Отвечает за обеспечение группы транспортом, гостиницей, реквизитом и питанием.

ДИРЕКТОР ПО РЕКЛАМЕ
Снимает помещение для выступлений и нанимает охрану. Он же организует продажу билетов и рекламу на местах.

ТЕХНИЧЕСКАЯ БРИГАДА
Перевозит и устанавливает реквизит и оборудование на площадках. В бригаду входят также специалисты по звуку, освещению и видеоэффектам.

БУХГАЛТЕР
Получает деньги от директора по рекламе, оплачивает работу технической бригады и проживание в гостинице, выплачивает гонорары исполнителям.

ОХРАНА
Охранники обеспечивают защиту группы, если это необходимо.

ГРУППА ПО СВЯЗЯМ С ОБЩЕСТВЕННОСТЬЮ
Ведет переговоры с фирмами звукозаписи, договаривается об интервью в прессе и на телевидении.

Работа менеджера

Менеджер рок-группы организует концерты и заключает контракты со звукозаписывающими фирмами. Занимаясь рекламой группы, менеджер сам должен быть отчасти поклонником музыкантов.

Индустрия звукозаписи

Крупные звукозаписывающие компании порой затрачивают столько средств на выпуск и рекламу альбома, что требуется продать, по меньшей мере 100 000 копий , чтобы получить прибыль.
Корпорации CBS, EMI, WEA и BMG контролируют большую часть мирового рынка в этой сфере.

Небольшие компании звукозаписи не могут себе позволить тратить такие же деньги на продвижение своей продукции, как эти гигантские монополии. Поэтому они специализируются, как правило, на музыке для узкого круга слушателей.

Сотрудники отделов по подбору артистов и репертуара отвечают за поиск новых талантов. За неделю они получают сотни кассет с записями возможных кандидатов.

Видео

С середины 1980-х годов, пожалуй, не было сделано ни одной записи, которую не предварял бы рекламный видеоклип на телевидении. Порой этот клип может стоить дороже, чем сама пластинка. Но руководители компаний считают, что эти затраты себя оправдывают, так как телевидение охватывает еще более широкую аудиторию, чем радио.

Видеопленка дешевле, чем кинопленка, к тому же на ней легче делать спецэффекты, ее проще монтировать и копировать для телевидения.

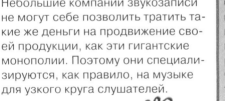

Джаз

Джазовые музыканты почти никогда не повторяют дважды одну и ту же мелодию. Большая часть джазовых композиций импровизируется — то есть сочиняется во время исполнения. Каждый музыкант предлагает свой вариант той или иной мелодии. В этом и состоит отличие джаза от рока и классической музыки.

Джаз можно сравнить с речью. Когда музыканты играют, то они как бы разговаривают друг с другом с помощью джаза. Они говорят об одной мелодии, но каждый высказывает собственное мнение.

Структура джаза

В основе любой джазовой композиции лежит короткая, но запоминающаяся тема. Она может быть специально написана или же выбрана из уже существующих и пользующихся популярностью.

Если в начале произведения ты запомнишь тему, тебе будет легче понять, что последует дальше.

Солист играет свою вариацию на тему, добавляя и изменяя ноты.

Джазовая импровизация состоит из серии квадратов.

Сначала музыканты джаз-бэнда играют всю главную тему, которая звучит в сопровождении гармонии. Этот вариант темы обычно достаточно прост.

Затем музыканты по очереди исполняют сольные импровизации на тему. Остальные играют первоначальные ритм и гармонию.

В завершение все вместе вновь проигрывают главную тему от начала до конца. Каждое полное проведение темы называется квадратом.

Джазовые инструменты

Джаз-бэнд делится на две части: фронт-лайн и ритм-секцию.
К фронт-лайн, то есть ведущей группе, относятся инструменты, исполняющие на протяжении всего произведения сольные партии.
Ритм-секция держит пульс. В нее входят инструменты, которые играют гармоническую основу импровизации. Инструменты могут меняться ролями.
Ты можешь услышать, как солирующими инструментами становятся барабан и бас-гитара. Пианист одновременно будет держать ритм и играть соло.

Фронт-лайн

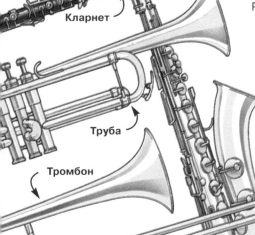

Кларнет

Труба

Тромбон

Саксофон

Рояль

Ритм-секция

Бас-гитара

Контрабас

Ударные

Правой рукой пианист играет соло

Левой рукой ритм

Ритм и синкопы

Обычно ритм имеет равномерную пульсацию. На рисунке внизу показан ритм, имеющий по два удара в каждой группе нот — т. е. в такте*. Первый удар в такте обычно самый сильный. Ты сможешь убедиться в этом, если будешь повторять: раз-два, раз-два:

Однако иногда акценты в такте попадают на слабые доли. Это называется синкопой. В простейшем синкопированном ритме акцент приходится на второй удар:

В джазе используются сложные синкопы. Акценты могут делаться и между ударами такта. Это создает интересное соотношение между равномерным биением пульса и синкопированным ритмом.

Свинг

Спокойно **Расслабленно** **Вольно** **Плавно** **Непринужденно**

Изначально джаз был танцевальным жанром. Особый джазовый ритм, который называют свингом, заставляет тебя двигаться в такт музыке. Свинг появился, когда музыканты начали использовать синкопы. Они могли сыграть какой-то звук чуть раньше или позже удара в такте. Это создавало ощущение свободы и раскрепощенности.

Джазовый ритм и чечетка

Чечеточники отстукивают ритм каблуками.

Чтобы понять, что такое джазовый ритм, вспомни о чечеточниках. Стук их каблуков звучит, словно партия ударных. Первыми чечеточниками были афроамериканцы, танцевавшие под джаз.

Джем-сейшн

Во время джем-сейшна музыканты играют не для аудитории. Они экспериментируют: ищут мелодии, ритмы и гармонии, оттачивают свое мастерство.

Джем-сейшн — так первоначально называли ночные соревнования между местными и приезжими джазовыми музыкантами, которые проходили в Канзас-Сити в 1920-х годах.

Как сочинять джаз

Большинство композиторов сами играют в группах и сочиняют музыку во время джем-сейшнов.

Композитор: мелодия, ритм, гармония, темп.

Музыканты: окончательный выбор нот и стиля во время исполнения.

Джазовые композиторы не записывают каждую ноту. Они просто предлагают основу: тему и гармонию. Некоторые записывают связки между квадратами, а также начало и конец произведения.

Каждый квадрат — это 12 тактов.

Цифрами обозначают число тактов* в секции.

«Ch» обозначает квадрат.

Труба и саксофон импровизируют по очереди.

Тема повторяется в конце.

Фортепианное вступление — 4 // Тема — 12 //
Соло труба — 2 ch // Тенор-саксофон — 24 //
Фортепиано — 1 ch // Труба "тенор**" и ударные — 24 //
Итоговое проведение темы — 12 // Держать последний аккорд

Композитор может сочинить план — базовую аранжировку. Она так называется потому, что музыканты должны ее помнить или играть ключевые звуки (пример — на схеме, приведенной выше). Большим джаз-бэндам такая аранжировка помогает избегать хаоса в исполнении.

Как записать джаз

В основе джазовой импровизации лежат гармонии, которые сопровождают тему.

Обозначения аккордов.

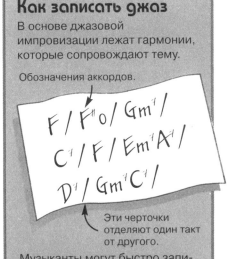

Эти черточки отделяют один такт от другого.

Музыканты могут быстро записать гармонии специальными знаками — обозначениями аккордов. Аккорд — это несколько нот, звучащих одновременно. Обозначения подсказывают музыкантам, какие аккорды сопровождают данную мелодию.
Об аккордах читай также на с. 51 и 52.

---

* О тактах можно прочитать на с. 18 и 48—49.

** Имеется в виду теноровый саксофон.

История джаза

Джазовой музыке всего лишь около 90 лет. Но за это время джаз пережил много перемен. Ты можешь слушать самые разные джазовые направления как в записях, так и в джаз-клубах. Джаз появился на заре XX века в Новом Орлеане (штат Луизиана на юге США).

Истоки джаза: 1900—1920

Представители многих национальностей жили в Новом Орлеане или прибывали в его порт. У каждого народа была своя музыкальная культура. На рисунке показано, какие стили привели к появлению джаза.

Испанская народная музыка. (Луизианой некогда управляла Испания.)

Музыка французских военных оркестров. (Какое-то время Луизиана была французской колонией.)

НОВЫЙ ОРЛЕАН

Регтайм — фортепианная музыка, исполнявшаяся в питейных заведениях.

Блюз — фольклор афроамериканцев, развивавшийся среди потомков рабов.

Европейская танцевальная музыка, очень популярная в XIX столетии.

В ранних джаз-бэндах было 6 музыкантов.

Создателями джаза были чернокожие музыканты. Мелодии исполнялись на слух. Дело в том, что афроамериканцы не умели читать нот.

Первые джаз-бэнды в качестве тем использовали народные мотивы и популярные в те времена мелодии. Обычно мелодию поручали корнету. Другие инструменты исполняли затейливые импровизации.

Корнетист

1920-е годы: эпоха джаза

В начале 1920-х годов многие джазовые музыканты уехали из Нового Орлеана — они хотели играть джаз в других городах, например Чикаго.

В 1930-х годах много музыкантов переехали в Нью-Йорк, где в это время развивались радиовещание, звукозапись и индустрия развлечений.

Джаз 1920-х годов называют новоорлеанским, или диксилендным.

Новоорлеанский джаз можно услышать и сегодня. Часто это направление называют еще традиционным джазом, или сокращенно традджазом.

ВЕЛИКИЕ ОЗЕРА

В 1930-е годы Нью-Йорк стал мировым центром джаза.

НЬЮ-ЙОРК

1920-е годы стали эпохой джаза. Танцевать и слушать джаз было модно не только среди черных, но и среди белых американцев.

ЧИКАГО

НОВЫЙ ОРЛЕАН

Первая запись джазовой композиции была сделана в 1917 году. После этого индустрия звукозаписи начала быстро развиваться. В начале 1920-х годов появилось и радиовещание. Все это способствовало популяризации джаза.

Лицо 1920-х годов: Луи Армстронг

Луи Армстронг изменил звучание джаза. До него все музыканты джаз-бэнда играли вместе, импровизируя по очереди. Луи Армстронг был столь блестящим музыкантом, что получил право играть соло. С тех пор основой джаза стало соло.

1930-е годы: эпоха свинга

В 1930-е годы джаз-бэнды выступали в больших танцевальных залах. Оркестры играли по нотам или использовали так называемые базовые аранжировки*. Сольные импровизации играли по очереди.

Лицо 1930-х годов: Дюк Эллингтон

Дюк Эллингтон руководил биг-бэндом на протяжении 45 лет. Он признан великим джазовым композитором.

Эллингтон писал собственные композиции, а также делал авторские версии уже существующих мелодий. Такие версии называют аранжировками.

Стиль, в котором они играли, стали называть свингом. Свинг был спокойнее и проще раннего джаза. Период между 1935 и 1940 годами вошел в историю музыки как эпоха свинга.

Оркестры стали называться свинг-бэндами или биг-бэндами. В состав биг-бэндов входили иногда один или два вокалиста. Они пели в спокойной, проникновенной манере.

Лицо 1940-х годов: Чарли Паркер

Чарли Паркер создал стиль би-боп. Его вклад в развитие джаза не менее значим, чем вклад Луи Армстронга. Стиль Паркера был настолько необычным, что многие думали, что он играет неверные ноты.

1940-е годы

Музыканты, считавшие свинг скучным, экспериментировали с ритмом и гармонией. В результате появился би-боп, или современный джаз.

Би-боп больше подходил для небольших джаз-бэндов. Основоположниками этого стиля, как и раннего джаза, стали чернокожие музыканты.

В противовес энергичному би-бопу стала развиваться школа лирического и менее эмоционального джаза.

Одним из пионеров школы спокойного джаза был трубач Майлс Дэвис.

1950-е годы

Под джаз 50-х годов танцевать невозможно. Вместо этого люди стали танцевать под ритм-энд-блюз и рок-н-ролл.**

Уэст-коуст-джаз (джаз западного побережья) развивался в Калифорнии. А родился он из школы спокойного джаза. Этот стиль был аккуратным и более обезличенным, нежели би-боп.

Джазу западного побережья некоторые все же предпочитали экспрессивный, зажигательный би-боп, а также появившийся еще более энергичный и жесткий хард-боп. Он продолжал традиции бибопа, экспериментируя с ритмами и сменами темпов.

Лицо 1950-х годов: Арт Блейки

Ударник Арт Блейки организовал группу «Jazz Messengers». Группа играла хард-боп. Блейки изучал и использовал в своих композициях подлинные африканские ритмы. Это делало его музыку крайне экспрессивной.

*Подробнее об аранжировках читай на с. 9.
**Подробнее о ритм-энд-блюзе и рок-н-ролле читай на с. 4—5.

1960-е годы: фри-джаз

В 1960-е годы появился фри-джаз. В нем игнорировались установленные гармонические правила и квадратная структура. Поначалу многие встретили в штыки этот стиль, поскольку он был труден для восприятия.

Название «фри-джаз» (т. е. свободный или бесплатный) на первых порах порождало казусы. Приходившие на концерты слушатели думали, что за билеты не надо платить.

FREE

Лицо 1960-х годов: Орнетте Коулмэн

Орнетте Коулмэн считал, что каждая нота особенная и что для достижения желаемого эффекта их можно сгруппировать в любом порядке.

1970-е годы: фьюжн

В 1970-е годы произошло слияние джаза и рока. Родился новый стиль, названный фьюжн. Музыканты импровизировали соло на фоне рок-ритмов, используя джазовые и рок-инструменты.

ДЖАЗ — Импровизирующие инструменты
РОК — Ритмические инструменты
ФЬЮЖН

Одна фьюжн-группа называлась «Weather Report» («Сводка погоды»). Ее импровизации были столь же непредсказуемы, как погода.

1980-е годы: ретро-джаз

Уинтон Марсалис играет в том же стиле, что и Майлс Дэвис.

Кортни Пайн — последователь традиций Джона Колтрейна.

В 1980-е годы некоторые музыканты стали развивать уже существовавшие джазовые стили в собственной манере. Такое необычное использование старого музыкального направления назвали ретроспективным джазом.

Концертный джаз

Нужно сосредоточиться, чтобы получить удовольствие от этой музыки.

Этот джазовый стиль основан на импровизации, но в то же время подвержен влиянию современных композиторов. Такие произведения исполняют в филармонических концертных залах. Солировать могут любые инструменты.

Джазовые певцы

«Бам-бам, ба- луу-ба, дуу-бай дуу-бай, уау-уау...»

В 1926 году Луи Армстронг первым записал на грампластинку вокальную импровизацию. Новый жанр назвали скэтом. Это голосовая имитация музыкального инструмента. Певцы, выступавшие со свинг-бэндами, пели только то, что считал нужным композитор.

Лучшие записи Билли Холидэй были сделаны с небольшими джаз-бэндами.

Выдающаяся певица Элла Фицджеральд записывала баллады с большими оркестрами.

Ранние джаз-бэнды аккомпанировали певцам, исполнявшим популярные песни и блюзы. В 30-е годы самыми знаменитыми джазовыми певицами были Билли Холидэй и Элла Фицджеральд.

Черный и белый джаз

До 40-х годов джаз-оркестры, в которых играли вместе белые и черные музыканты, были редкостью. Против этого возражала белая аудитория США, особенно — в южных штатах страны.

Одну из первых записей выступления смешанного состава организовал в 1929 году Луи Армстронг.

Слушаем джаз

Джаз очень разнообразен, поэтому какие-то произведения могут тебе очень понравиться, а другие — нет. На этой странице указаны исполнители разных джазовых направлений, которых хорошо было бы послушать. Приведены здесь также названия отдельных композиций и целых альбомов.

Новоорлеанский (традиционный) джаз

«Creole Jazz Band» Кинга Оливера ....*Dippermouth Blues*
«Hot Five» Луи Армстронга ....*Heebie Jeebies*
Джелли Ролл Мортон (ф-но) ....*The Chant*
Бикс Бейдербеке (корнет) ....*Singin' the Blues*
Сидней Вечет (кларнет, саксофон) ....*Shake It and Break It*

Главного корнетиста или трубача в Новоорлеанских джаз-бэндах называли «King» («Король»), а его напарника — «Kid» («Малыш»).

Первая запись на пластинку голосовой имитации музыкальных инструментов.

Бикс Бейдербеке умер в 27 лет, войдя в историю как один из самых известных белых джазменов 1920-х годов.

Свинг

Дюк Эллингтон (ф-но)..*Harlem Air Shaft*
Каунт Бэйси (ф-но)..*Tickle Toe*
Билли Холидэй (вокал)...*Me, Myself and I*
Коулмэн Хоукинс (теноровый саксофон).....................*Body and Soul*

Коулмэн Хоукинс был, возможно, первым джазовым теноровым саксофонистом.

Би-боп

Чарли Паркер (саксофон)..*Cool Blues*
Дизи Гиллеспи (труба)...*The Champ*
Телониоус Монк (ф-но)..*Round about Midnight*

Гиллеспи был другом Чарли Паркера и одним из главных энтузиастов би-бопа.

Композиции Телониоуса Монка состояли всего из нескольких нот на фоне сложного ритма и необычной гармонии.

Спокойный джаз

Майлс Дэвис (труба)..*Godchild*
Стэн Гец (теноровый саксофон.)...............................*Moonlight in Vermont*

Уэст-коуст-джаз

Дэйв Брубек (ф-но)...*Take Five*
Джерри Муллигэн (саксофон-баритон).........*Lullaby of the Leaves*
Арт Пеппер (альт-саксофон.)..................альбом *Art Pepper Plus Eleven*

В каждом такте этой композиции — пять долей. Обычно в одном такте используются два, три или четыре ритмических удара*.

Уже в 15 лет Арт Пеппер играл в ночных клубах Лос-Анджелеса.

Хард-боп

Арт Блейки (ударные)........................альбом *A Night at Birdland*
Сонни Роллингз (теноровый саксофон) ....альбом *Saxophone Colossus*
Хорэйс Силвер (ф-но)...*The Preacher*

Прежде чем стать руководителем джаз-бэнда, Хорэйс Силвер был первым пианистом группы «Jazz Messengers», возглавляемой Артом Блейки.

Фри-джаз

Орнетте Коулмэн (саксофон).................альбом *Change of the Century*
Джон Колтрэйн (саксофон)........................альбом *Ascension*

Фьюжн

Херби Хэнкок (клавишные)......................альбом *Headhunter*
«Weather Report».....................................альбом *Heavy Weather*

Ретроспективный джаз

Кортни Пайн (саксофон)....................альбом *Journey to the Urge Within*
Уинтон Марсалис (труба)..........альбом *Black Codes from the Underground*

Подробнее об этом читай на с. 18 и 48.

Фольклорная и этническая музыка

До появления телевидения, грамзаписи, радио и кино люди сами придумывали себе развлечения. Они собирались вместе, чтобы петь и танцевать. Музыка, которую они при этом исполняли, называется фольклорной или этнической. Это традиционная музыка той или иной страны. Она передавалась устно из поколения в поколение.

Народные танцы

Народный танец состоит из строго определенной последовательности движений, подчас имеющих религиозный подтекст. В некоторых странах мира, например на острове Бали, танцовщики воспроизводят легенды и предания из жизни богов и богинь.

Народные песни

Первоначальная цель народной песни, возможно, уже давно забыта, но по сей день песни поют, чтобы развлекаться. Вот как складывались некоторые песенные жанры.

Трудовые песни

> Что нам делать с моряком, напившимся уже рано утром?

Эти песни помогали людям в их тяжелом труде. Ритмы помогали синхронности и сплоченности в работе. У моряков были специальные песни, которые они пели, поднимая якорь, устанавливая паруса и т. д.

Блюз

В XIX веке блюзы пели чернокожие рабы на юге США. Во многих песнях рассказывалось об их тяжелой жизни.

> Чернокожие в горах — люди скверные. Хуже — некуда!
> Чернокожие в горах - люди скверные. Хуже - некуда!
> Им нужен порох только для того,
> Чтобы подсластить чай.

Детские игровые песни

Дети поют во время танцев и игр. Несмотря на жизнерадостность, в песнях часто говорилось о разных бедствиях.
В этой детской песне речь идет о чуме, свирепствовавшей в Англии в 1665 году.

> Станем, розочки, станем в круг!
> Соберемся в большой букет!
> Ай-ай-ай! Ай-ай-ай!
> Все сейчас мы упадем!

Спиричуэлс

На юге США белые хозяева насильно обращали своих чернокожих рабов в христианство. И рабы превратили христианские гимны в спиричуэлсы. В них слышны отзвуки

> Опустись ниже, прекрасная колесница,

> Ты увезешь меня домой!

ритмов и мелодий западноафриканской музыки. Спиричуэлс часто строятся по принципу: сольный запев — хоровой припев.

Баллады

В балладах обычно рассказываются целые истории. Они начинаются соло без аккомпанемента. В наши дни баллады часто исполняют вокально-инструментальные группы. Чаще всего в балладах поется о героях, трагедиях и любви.

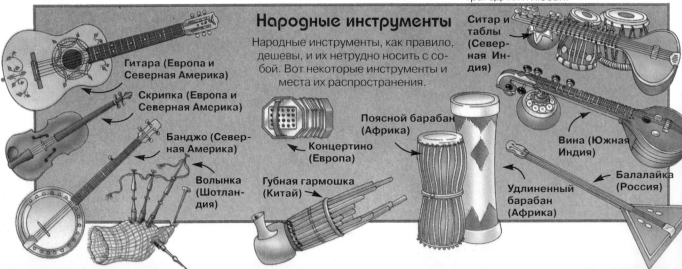

Народные инструменты

Народные инструменты, как правило, дешевы, и их нетрудно носить с собой. Вот некоторые инструменты и места их распространения.

Гитара (Европа и Северная Америка)

Скрипка (Европа и Северная Америка)

Банджо (Северная Америка)

Волынка (Шотландия)

Концертино (Европа)

Губная гармошка (Китай)

Поясной барабан (Африка)

Удлиненный барабан (Африка)

Ситар и таблы (Северная Индия)

Вина (Южная Индия)

Балалайка (Россия)

Как развивалась фольклорная музыка

В прошлом люди путешествовали меньше, чем сейчас. И поэтому фольклорная музыка в каждом уголке Земли развивались по-своему.

Этот инструмент называется диджериду.

Американские индейцы играли в основном на дудках и ударных.

Британские, французские и голландские колонии возникли в Северной Америке в XVII веке.

В XVI веке испанские завоеватели вторглись в Южную Америку.

Торговля чернокожими рабами продолжалась 200 лет. Рабство в США запрещено в 1865 году.

На протяжении тысячелетий в Австралии жили только аборигены. Их музыка не подвергалась никаким влияниям вплоть до прихода европейцев примерно 200 лет тому назад.

Когда исследователи, осужденные или рабы приезжали в другие страны, они привозили с собой музыкальные традиции своих народов. В американской музыке соединились стили, завезенные первыми переселенцами и завоевателями.

Африканские рабы привнесли свои ритмы и традицию игры на ударных инструментах. Европейские поселенцы — мелодии и танцы, а также скрипку, гитару, арфу и медные инструменты военных оркестров.

Фольклор в наши дни

Фольклорная музыка — это самодеятельность. А потому стоит дешево. Благодаря этому она и по сей день живет во многих бедных странах. В богатых странах люди слушают музыку по радио и в записи. В таких странах фольклор заменили другие стили. Хотя и там есть поклонники этнической музыки, которые организуют свои клубы и фестивали.

В 70-е годы в Великобритании была популярна фольклорная группа «Steeleye Span» (слева). Музыканты играли и на электроинструментах. Одни слушатели считают, что исполнение фольклорной музыки на современных инструментах — это нарушение традиций. Другие видят в этом влияние времени.

Музыка и туризм

Фольклор с его неповторимым национальным колоритом используется для привлечения туристов. Иностранцы, приехавшие на отдых, слушают музыку, которую не могут услышать у себя на родине.

Слушаем фольклор

Возможно, в местной фонотеке есть что-либо из перечисленного ниже. В противном случае фонотека может заказать нужные тебе записи.

Египет: Солиман Джамил.
Гамбия (Западная Африка): Дембо Конте или Тоумани Дайэбейт.
Англия: Мартин Карти.
Ирландия: группа «The Chieftains».
Испания: группа «Mocedades».
Греция: Нана Моускоури.
Франция: Алан Итвелл.
Южная Америка: Инти Иллимани.
Блюзы (США): Биг Билл Бруунзи.
Блюграсс (фольклорный стиль белых американцев): Лестер Флэтт и Эрл Шраггз.

Влияние фольклора на другие стили

Бхангра — это индийская фольклорная музыка в джазовой обработке, состоящая из традиционных мотивов и текста на фоне ритмов диско. Бхангра исполняют две группы: «Heera» и «Holle Holle».

Средневековая музыка

Музыка, написанная после XVII столетия, представляет собой мелодию с аккомпанементом. Но так было не всегда. К примеру, музыка раннего средневековья состояла из мелодии без всякого гармонического сопровождения. Переход от одного музыкального стиля к другому начался в эпоху средневековья (период с конца V до XIV столетия). Как менялись музыкальные стили, ты сможешь понять, изучив средневековую христианскую музыку.

Церковная музыка средневековья

Это аббатство X века. Вполне вероятно, что причиной петь во время богослужения послужило то, что пение в больших храмах звучит лучше, чем речь.

В эпоху раннего средневековья христианские монахи пели во время церковных служб. Все они исполняли одну и ту же мелодию. Такой стиль пения без сопровождения называется григорианским хоралом, а сама одноголосная музыка — монодией.

Папа Григорий I (540—604) ввел правила исполнения хоралов. Раньше существовало более 3000 песнопений — григорианских хоралов. Многие из них и сегодня звучат во время богослужений в католической церкви.

Вокальные партии в церковных песнопениях

В средние века певчие стали одновременно исполнять разные ноты. Так появилось хоровое многоголосие. На рисунках ниже ты увидишь, как это происходило.

> Басовые ноты пели монахи, которые не могли держать тональность.

Кантус фирмус

Басовая партия

Одна группа пела главную мелодию, или кантус фирмус, а другая — нижнюю, басовую ноту.

Девятый век

Вторая партия следовала мелодическим рисункам кантус фирмус.

Одиннадцатый век

Но иногда вторая партия шла в противоположном кантус фирмус направлении.

Конец двенадцатого века

> Различные ритмы и мелодия совмещаются

Несколько партий в произведении развиваются независимо друг от друга. Каждая имеет свою мелодию. Это называется полифонией.

Развлекательная музыка

Примерно с X века профессиональные музыканты-мужчины исполняли развлекательную музыку. Многие из них разъезжали по всей стране, играя за деньги и угощение в домах богатых вельмож или на городских площадях. Они сами писали и исполняли песни, аккомпанируя себе на различных инструментах.

Жонглеры были не только акробатами и фокусниками, но и музыкантами. Они исполняли танцевальную народную музыку.

Менестрелей уважали больше, чем жонглеров. Они исполняли песни романтического характера.

В Центральной и Северной Франции менестрелей называли труверами.

На юге Франции бродячих музыкантов называли трубадурами.

А в Германии их называли миннезингерами — певцами любви.

Блок флейта

Лютня

Арфа

Скрипка

Жонглеры

Менестрель

Трувер

Трубадур

Миннезингер

Музыка эпохи Ренессанса

Эпоха Ренессанса* началась в XIV веке в Италии. В последующие 200 лет новые идеи в архитектуре и музыке, навеянные древнегреческой культурой, были популярны во всей Европе. Некоторые современные музыкальные теории зародились еще в эпоху Ренессанса.

Небольшие группы людей исполняли полифонические многоголосные пьесы — мадригалы**.

● В средние века на музыкальных инструментах играли в основном профессионалы. В эпоху Ренессанса обучение искусству чтения и исполнения музыки стало неотъемлемой частью хорошего воспитания и образования.

● Композиторы стали писать партии для сольных инструментов, используя контрасты тембров. Так появились группы инструментов в оркестре.

Раньше

Теперь

● Композиторы также начали сочинять инструментальную музыку.

● К музыке относились уже как к виду искусства, т. е. ее художественная ценность была столь же важна, как и практическое применение — для богослужений и развлечений.

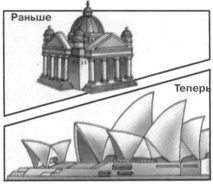

Раньше

Теперь

● Музыку слушали в капеллах и кафедральных соборах. Специальных концертных залов тогда не было.

Музыкальные инструменты

Семейство виол

Богатые семьи в ту пору часто имели целые наборы музыкальных инструментов. Такие наборы (их называли консортами, или сундуками) состояли из четырех или более разновидностей одного и того же инструмента, различавшихся только по диапазонам, то есть высоте звучания.

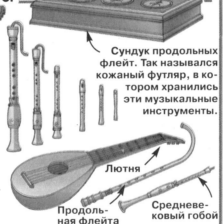

Сундук продольных флейт. Так назывался кожаный футляр, в котором хранились эти музыкальные инструменты.

Лютня

Продольная флейта

Средневековый гобой

Инструменты эпохи Ренессанса

Слушаем средневековую музыку

Палестрина (1525 —1594) — автор католических месс, среди которых знаменитая «Месса папы Марчелло». Рекомендуем послушать его «Успение Богородицы» как пример произведения, основанного на хорале.

Джованни Габриэли (1557—1612) сочинял канцоны, которые в XVI веке были одной из самых популярных форм инструментальной музыки.

Главным полифоническим жанром средневековья был мотет. Мотеты делились на религиозные и светские. Перечисленные ниже композиторы писали мотеты:

Гийом Дюфаи (1400—1474).
Томас Таллис (1505—1585) — написал 40-частный мотет «Spem in Alium» для восьми пятиголосных хоров.
Гийом де Машо (1300—1377) — автор мотетов и полифонической «Мессы Нотр-Дама».
Жоскен Депре (1440—1521) — писал мотеты и мессы.

Запись музыки

Акцентами отмечены повышение и понижение мелодии.

Впервые люди попытались записывать музыку на бумаге в VII веке. Система записи была настолько запутанной, что в настоящее время ее использовать просто невозможно. Тогда нотные знаки называли невмами.

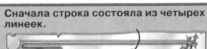

Сначала строка состояла из четырех линеек.

На каждой линейке или между ними записывались ноты.

В XI веке монах Гвидо Аретинский изобрел более совершенный способ записи музыки. Он использовал строки из горизонтальных линий — нотный стан.

* Ренессанс также называют Возрождением.
** Подробнее о мадригалах читай на с. 37.

17

Как записать музыку

Композитор записывает музыку так, чтобы исполнитель мог точно воспроизвести авторский замысел. Современная система нотной записи появилась в Европе одновременно с полифонией (см. с. 16—17). Это позволяло исполнителям различных партий петь или играть вместе. Если ты не умеешь читать ноты, то, изучив этот раздел, ты узнаешь основные принципы этого искусства. Подробнее о нотной записи читай на с. 48—53.

Ритм и высота звучания

Благодаря музыкальному ритму звуки группируются в соответствии с равномерно бьющимся пульсом. Один звук может длиться один удар, пол-удара или, наоборот, несколько ударов.

Пульсация разделена на группы — такты. Цифры в начале каждой строки нотного стана обозначают, сколько ударов в каждом такте. Эти цифры называются размером.

Обозначения, приведенные ниже, определяют длительность звуков:

♩ **Четверть — один удар.**

♫ **Восьмушки — половина каждого удара.**

♪ **Половинка — два удара.**

В данном случае цифра 2 говорит о том, что каждый такт состоит из двух ударных долей. Цифра 4 означает, какими длительностями идет пульсация. Ты сможешь почувствовать ритм, если будешь считать: раз-два, раз-два. Первый удар в такте обычно бывает сильнее остальных.

Строка из пяти линий называется нотным станом. Знак, расположенный в начале стана, носит название скрипичного или басового ключа (подробнее об этом читай ниже).

Положение нотного знака на линейке или между ними означает высоту ноты.

Расположение нот на стане

На этом рисунке показано, как линейки нотного стана соотносятся с клавиатурой.

Ноты названы по первым семи буквам латинского алфавита.

Клавиша до в середине клавиатуры называется до первой октавы.

Расстояние по высоте между двумя одинаково названными нотами — это октава.

О черных клавишах читай на с. 50.

Скрипичный ключ означает, что все ноты находятся выше до первой октавы.

Басовый ключ означает, что все ноты расположены ниже до первой октавы.

Линейки над нотным станом или под ним называют добавочными.

До первой октавы расположено на добавочной линейке между двумя строками.

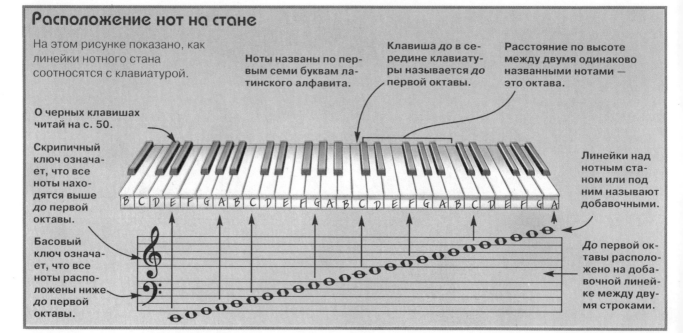

Гаммы

В основе любого произведения лежит нотный звукоряд, или гамма. Существует много различных гамм. Музыка некоторых стран может оказаться непривычной для твоего уха, потому что она основана на незнакомых тебе гаммах.

Расстояние между нотами

Минимальное расстояние, или интервал, между двумя нотами на клавиатуре называется полутоном. Два полутона составляют тон. Полутон — это самый маленький интервал, который можно записать нотами.

⌒ = тон   ⌒ = полутон

Иногда в музыке, например индийской, используются интервалы даже меньше полутона. Это означает, что подобную музыку нельзя записать обычными нотами. Ее играют на слух или импровизируют, основываясь на определенной схеме.

Мажорные гаммы

Со времен Ренессанса западно-европейская музыка стала основываться на мажорных и минорных гаммах. Эти гаммы состоят из восьми нот: от одной ноты до аналогичной другой октавой выше.

Гамма до мажор

Простейшая мажорная гамма, которую ты можешь сыграть на клавиатуре, начинается с ноты до (C). В нее входят только белые клавиши. Про мелодию, основанную на этой гамме, говорят, что она написана в тональности до мажор.

Порядок тонов и полутонов в гамме до мажор.

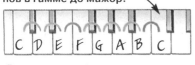

⌒ = тон   ⌒ = полутон

Построение мажорных гамм

Мажорная гамма может начинаться с любой ноты, но непременно сохраняет порядок тонов и полутонов гаммы до мажор. Это означает, что во всех других мажорных гаммах, как в гамме соль мажор (справа), должны быть черные клавиши. Подробнее о мажорных и минорных гаммах читай на с. 50.

Эта нота называется фа-диез (Fis-dur).

⌒ = тон   ⌒ = полутон

Этот знак называется диез. Он означает, что указанная на рисунке нота должна играться на полтона выше.

Другие виды гамм

Если у тебя есть рояль или пианино, попробуй сыграть приведенные ниже гаммы. Сравни их с гаммой до мажор. Гамма, состоящая из пяти нот, называется пентатоникой. Она часто используется в китайской и японской музыке.

⌒ = тон
⌒ = полутон
⌒ = 1 1/2 тона

Черные клавиши составляют китайскую пентатоническую гамму, как показано на верхнем рисунке.

Интервалы в два тона

Японская музыка по преимуществу строится на пентатонике.

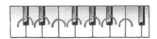

Хроматическая гамма* включает ноты всех 12 белых и черных клавишей в пределах октавы.

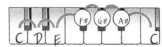

Целотонная гамма* строится на шести одинаковых ступенях, каждая из которых равняется одному тону.

Древние гаммы

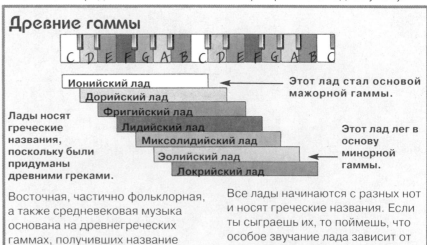

Ионийский лад — Этот лад стал основой мажорной гаммы.
Дорийский лад
Фригийский лад
Лидийский лад
Миксолидийский лад
Эолийский лад — Этот лад лег в основу минорной гаммы.
Локрийский лад

Лады носят греческие названия, поскольку были придуманы древними греками.

Восточная, частично фольклорная, а также средневековая музыка основана на древнегреческих гаммах, получивших название «лад».

Все лады начинаются с разных нот и носят греческие названия. Если ты сыграешь их, то поймешь, что особое звучание лада зависит от последовательности тонов и полутонов.

* Некоторые композиторы XX века использовали целотонные и хроматические гаммы (см. с. 26).

Музыка эпохи барокко

В 1600—1750 годах в европейской музыке зародился новый стиль. Он отличался тем, что вместо нескольких одновременно звучащих мелодий (полифонии) в произведениях появилась мелодия с аккомпанементом. Некоторые композиторы продолжали писать полифоническую музыку. Со временем в качестве баса они стали использовать аккорды. Слово «барокко» означает «изысканно украшенный». Оно относится не только к музыке, но и к архитектуре и живописи той эпохи.

Барочный оркестр

Размер оркестра эпохи барокко зависел от наличия инструментов. Мелодию обычно играли скрипки. Их нежный и яркий тембр придавал мелодии удивительную красоту. Басовая партия поручалась виолончелям, контрабасам или фаготам, гармония — клавесину. Кроме того, в оркестр могли входить виолы, гобои, трубы и ударные.

Обычно композиторы не записывали гармонию полностью. В партии клавесина проставлялись цифры. Это называлось цифрованным басом, или генерал-басом. Цифры обозначали аккорды. Основываясь на них, исполнитель импровизировал аккомпанемент. Теперь такие партии расшифровывают и точно записывают. Искусство игры по цифрам живет и по сей день, но это требует большого умения и навыков.

Ядро оркестра составляли скрипки.

Цифрованный бас давал музыканту возможность импровизировать.

Как жили композиторы эпохи барокко

Композиторы времен Ренессанса и барокко работали у знатных вельмож или в церкви. Они должны были писать музыку на заказ для церковных служб и светских празднеств. Эта система называлась патронажем.

Композиторы писали оперы* и балеты для увеселения патрона.

Король Франции Людовик XIV был хорошим балетным танцором.

Композиторы сочиняли кантаты и хоралы для церковных служб.

Бах и Гендель

Два самых известных композитора того времени — Иоганн Себастьян Бах (1695—1750) и Георг Фридрих Гендель (1685—1759). Оба были немцами, почти ровесниками, но жизнь у них сложилась по-разному, и музыку они писали тоже разную.

Бах никогда не уезжал из Германии. Он работал в церквах, капеллах и при дворах знатных сановников.

Гендель учился в Италии. Работал в Германии и Англии при дворах принцев и герцогов.

Несмотря на то что Бах был гением, музыка не сделала его богатым. После смерти композитора большинство его произведений было забыто и получило второе рождение только в XIX веке. Слушая любое произведение Баха, постарайся обратить внимание не только на его мелодию, но и на другие партии, поскольку они так же интересны.

Карьера Генделя сложилась успешно — он всегда следовал за музыкальной модой. Произведения Генделя охотно исполнялись как при жизни композитора, так и после его смерти. Возможно, сначала музыка Генделя покажется тебе понятнее музыки Баха, поскольку она была предназначена для более широкой аудитории.

* Подробнее об оперной и хоровой музыке читай на с. 36—40.

Музыкальные формы эпохи барокко

В эпоху барокко качество инструментов и техника игры на них значительно повысились. Музыканты могли составлять интересные по звучанию инструментов ансамбли.

Композиторы стремились писать большие произведения. Появились новые формы, многие из которых состояли из связанных между собой частей. Ниже рассказывается о некоторых барочных формах.

В таком кафедральном соборе могли исполняться церковные сонаты (sonata da chiesa). В его архитектуре чувствуется изысканный барочный стиль.

Соната

Соната состояла из контрастных частей. Существовало два типа сонат: камерная (sonata da camera) и церковная (sonata da chiesa). Камерная соната основывалась на танцевальных мелодиях. На рисунке слева музыканты исполняют такую сонату во время домашнего музыкального вечера. Церковная соната была более торжественной.

Сюита

Сюита состоит из танцевальных мелодий, но под нее никогда не танцевали. Части сюиты, названные как танцы, сохраняли их ритм и стиль.

Эти танцы входили в сюиту: аллеманда, куранта, сарабанда, менуэт, жига.

Кончерто гроссо (Concerto grosso)

Солирующая группа могла состоять из:

2 Скрипок
0 Альтов
1 Виолончелей

Оркестровая группа могла состоять из:

10 Скрипок
2 Альтов
3 Виолончелей

Кончерто гроссо фа минор
СОЛО НА СКРИПКЕ: ЭБЕНЕЗЕР РОКЕНХОЗ
КЛАВЕСИН: БЕРТА БАЛСБЛАД
ВИОЛОНЧЕЛЬ: ЧЕЛИЯ СПОТЦ
ПРИ УЧАСТИИ МАНГЕЛОТТСКОГО ФИЛАРМОНИЧЕСКОГО ОРКЕСТРА

Используемые инструменты могут быть перечислены на конверте грампластинки.

Кончерто гроссо состояли, как правило, из трех или более частей. Оркестр делился на две группы. Небольшая группа струнных (concertante, или soli) инструментов исполняла сольную партию. Расширенная группа струнных (ripieno, или tutti) контрастировала с солистами.

В сольную группу мог входить духовой инструмент или инструмент, исполняющий партию генерал-баса.

Прелюдия и фуга

Прелюдией называется вступление к фуге. Фуга — это полифоническое произведение, которое пишется для клавишных инструментов. Как правило, она начинается с короткой одноголосной мелодии — темы. Постепенно с проведением темы вступают остальные голоса. Далее в каждом голосе звучат различные вариации темы. Голоса переплетаются друг с другом, усложняя мелодию.

Бах сочинил много фуг для органа.

Слушаем барочную музыку

В этих произведениях отражены барочная полифония и принцип декоративности.
Бах — Концерт ре минор для двух скрипок.
Пахельбель — Канон ре мажор.
Тартини — «Дьявольские трели» (соната для скрипки соль минор. Трели — это музыкальные украшения).

В этих произведениях ты сможешь услышать *генерал-бас*.
Перселл — «Золотая» соната.
Корелли — Сонатное трио (особенно ор. 2 или 3).

Следующие произведения — это примеры основных музыкальных форм барокко:
Скарлатти — сонаты для клавесина.
Гендель — «Музыка на воде» (сюита).
Рамо и Куперен — сюиты для клавесина.
Бах — 4-й Бранденбургский концерт. В этом кончерто гроссо участвуют скрипка, две продольные и одна поперечная флейты, которые контрастируют с основной струнной группой оркестра.
Бах — Прелюдия и фуга № 1 до мажор из сборника «Хорошо темперированный клавир».

Музыка эпохи классицизма

Ко второй половине XVIII века композиторы открыли для себя новую аудиторию: это были богатые люди, которые могли платить за билеты на концерты. Теперь композиторы и исполнители могли зарабатывать музыкой на жизнь.
В живописи, архитектуре и музыке публику привлекали традиционные, симметричные структуры. Легкий и изящный стиль стал активно вытеснять пышную и сложную музыку эпохи барокко. Религиозную и светскую музыку, написанную с 1750 по 1820 год, называют классической.

Симфония

В эпоху классицизма появилась новая музыкальная форма — симфония. Это масштабное оркестровое произведение в трех или четырех частях. Продолжительность симфонии давала композиторам возможность в полной мере выразить свой замысел, используя при этом контрасты между различными группами инструментов.

Особые эффекты создавали трубы, валторны и ударные.

Состав музыкальных инструментов в классическом симфоническом оркестре мог быть самым разнообразным. Но незаменимым оставался клавесин, которому поручался генерал-бас*. Остальные инструменты исполняли гармонию. Обычный симфонический оркестр того времени насчитывал 25—40 музыкантов. В наши дни их число порой достигает 100 и даже больше**.

Инструментальные концерты

Барочные кончерто гроссо постепенно переросли в классические концерты. Они состояли из трех частей, написанных для солиста и оркестра. В концерте солист демонстрировал свое мастерство. Особо выдающихся солистов называли виртуозами.

В конце каждой части концерта солист мог играть без сопровождения оркестра. Эти эпизоды назвали каденциями. В те времена солисты импровизировали каденции сами. Позже каденции стали писать композиторы.

Увертюры

Увертюрами назывались небольшие оркестровые произведения, звучавшие перед началом оперных спектаклей. Это настраивало публику на нужный лад. Некоторые увертюры были написаны как самостоятельные произведения, никак не связанные с оперой.

Вариации

Вариации начинаются с проведения темы, которая потом неоднократно повторяется, но каждый раз — в измененном виде. Она может иметь иной ритм и даже другую тональность.

На рисунке показаны некоторые приемы, с помощью которых тема может изменяться. Композитор старается менять тему, сохраняя ее узнаваемость.

Классическая соната

Инструментальный ансамбль исполняет классическую сонату.

Соната развилась в трех- или четырехчастную музыкальную форму. Многие классические сонаты написаны для небольших ансамблей. Симфония — это не что иное, как соната для симфонического оркестра.

Камерная музыка

Здесь изображен струнный квартет.

Альт

Виолончель

Две скрипки

Два — дуэт
Три — трио
Четыре — квартет
Пять — квинтет
Шесть — секстет
Семь — септет
Восемь — октет

Камерная музыка исполняется небольшим составом музыкантов. В ней, может быть, и нет разнообразия тембров. Но прислушайся внимательно к тому, как инструментальные партии переплетаются друг с другом, исполняя одна за другой главную тему.

Аплодисменты

Не нужно аплодировать в паузе между частями концерта, сонаты или симфонии. Это может нарушить особую атмосферу в зале и отвлечь музыкантов.

Инструменты играют вместе на протяжении всего произведения. Но важен каждый голос.
Камерное произведение может быть названо по числу участвующих в исполнении инструментов — дуэт, трио, квартет и т. д. (см. вверху справа).

Слушаем классическую музыку

Гайдн:
Симфония № 94, соль мажор (с сюрпризом); Концерт ми-бемоль мажор для трубы с оркестром.

Моцарт:
Симфония № 39, ми-бемоль мажор; симфония № 40, соль минор; симфония № 41, до мажор. (Моцарт написал эти симфонии в течение шести недель в 1788 году.).
Увертюры к операм: «Волшебная флейта», «Свадьба Фигаро».
Соната № 11, ля мажор, для ф-но.

Бетховен:
Симфония № 5. Концерт для скрипки с оркестром. (Обычно в этом концерте исполняется каденция, написанная выдающимся скрипачом Крейслером).
Увертюры: «Фиделио»; «Эгмонт».

Как изобрели фортепиано

Первый рояль (или фортепиано) появился на свет в начале XVIII века. Очень скоро этот инструмент стал более популярным, чем клавесин: на рояле можно было играть громко и тихо. Это отражено и в самом названии инструмента: форте — это громко, а пиано — тихо.

Первые рояли получили название фортепиано.

Композиоры-классики и их патроны

Моцарт (1756—1791) написал первую сонату в пять лет. Став зрелым композитором, он отказывался следовать указам своего патрона, а потому часто оставался без работы. Некоторые его произведения были слишком сложными для современников, и Моцарт был лишен возможности зарабатывать на жизнь музыкой. Он умер в бедности совсем молодым.

Гайдн (1732—1809) родился на 24 года раньше Моцарта, но умер на 18 лет позже. Большую часть своей творческой жизни Гайдн провел при дворе венгерского принца Эстергази, являвшегося его патроном*. Последние годы Гайдн жил независимо.

Творчество Бетховена (1770—1827) стало своеобразным мостом между классическим периодом и последовавшей за ним эпохой романтизма. Бетховен был первым композитором, сумевшим зарабатывать себе на жизнь собственным музыкальным творчеством, не обращаясь к патронам.

Камерная музыка

Гайдн:
Квартет до мажор, ор. 76, № 3 («Императорский»). Национальный гимн Германии основан на одной из тем этого квартета.

Моцарт:
Кларнетный квинтет ля мажор.
Гобойный квартет фа мажор.

Бетховен:
Фортепианное трио.

* О системе патронажа см. с. 20.

Музыка эпохи романтизма

В XIX веке композиторы все чаще старались выражать в своих произведениях личные чувства и рассказывать целые истории. Они отказались от многих классических музыкальных форм или использовали их достаточно вольно, дав полную свободу эмоциям. Постепенно настроение стало определяющим, вытеснив на второй план изящество. Художники и писатели также стали воплощать в своих произведениях чувства и переживания. Это направление в живописи, литературе и музыке назвали романтизмом. Оно охватывает весь XIX век.

Оркестр

Изобретение крона расширило диапазон и усилило звучание деревянных духовых инструментов*.

Крон

Клапаны увеличили диапазон и улучшили тембр медных духовых*.

Состав оркестра расширялся, а инструменты усовершенствовались. Это было необходимо для лучшего звучания в больших залах. Композиторы-романтики стреми-

Деревянную раму в роялях заменили металлической. Это позволило натягивать более прочные и толстые струны, придающие звучанию громкость и объемность.

Инструменты оркестра

← Флейта пи

← Английский р

← Бас-кларнет

лись затронуть в своих произведениях самые разные эмоции. Новые улучшенные инструменты помогали им в достижении контрастов и объема звучания.

Музыкальные повествования и картины

Музыка, в которой рассказываются истории или описываются картины, называется программной. Композиторы сами часто писали к своим сочинениям примечания, или про-

граммы, в которых разъясняли содержание. Некоторые крупные программные произведения называют симфоническими поэмами.

Гарриет Смитсон

Берлиоз (1803—1869) в Фантастической симфонии отразил свою любовь к актрисе Гарриет Смитсон. Композитор пригласил ее на премьеру симфонии, а позже Гарриет стала его женой. Берлиоз был мастером создания произведений для большого симфонического оркестра.

Увертюра Чайковского «1812 год» рассказывает о бегстве армии Наполеона Бонапарта из Москвы.

Симфоническая поэма «Шехеразада» Римского-Корсакова основана на арабских сказках «Тысяча и одна ночь».

В «Картинках с выставки» Мусоргского описана выставка, которую посетил композитор.

Слушая музыку, невозможно точно представить себе сюжет рассказа или картину. Композитор и не требует этого. Он стремится пробудить в слушателе те чувства, которые возникли бы при чтении рассказа или знакомстве с картиной. Ключ к пониманию такой музыки содержится в названии произведения.

«Пасторальная» симфония Бетховена посвящена картинам из сельской жизни.

Композитор создает желаемую атмосферу с помощью темпов, ритмов, гармонии или инструментовки своего произведения. Неожиданная смена, к примеру, тональности может создать ощущение беспокойства. Необычные сочетания нот порой вызывают тревогу или даже страх.

Дьявол и Паганини

Паганини (1782—1840) был блестящим скрипачом-виртуозом. Слушателям его талант казался настолько невероятным, что по Европе распространились слухи, будто бы Паганини продал душу дьяволу. Паганини не опровергал их, поскольку подобные легенды только увеличивали его популярность.

Национальная школа

До XIX века европейская музыка развивалась в основном в нескольких центрах. Во времена Генделя — в Италии, при Моцарте — в Вене. Мода тех мест влияла и на музыкальные стили всей Европы.

Некоторые композиторы-романтики сопротивлялись этому процессу и старались придать своей музыке национальный характер. Это направление назвали национальной школой. Композиторы соединяли народные ритмы и мелодии, наполняли музыку национальным колоритом.

На этой карте показаны страны, в которых жили композиторы национальных школ.

Григ (1843—1907)

Элгар (1857—1934)

Сметана (1824—1884) Дворжак (1814—1904)

Альбенис (1860—1909) Фалья (1876—1946)

ФИНЛЯНДИЯ
НОРВЕГИЯ
АНГЛИЯ
ГЕРМАНИЯ ПОЛЬША
ЧЕХИЯ
СЛОВАКИЯ
РОССИЯ
АВСТРИЯ
ВЕНГРИЯ
ФРАНЦИЯ
ИТАЛИЯ БОЛГАРИЯ
ИСПАНИЯ

Сибелиус (1865—1957)

Шопен (1810—1849)

Бородин (1837—1887) Мусоргский (1839—1881) Римский-Корсаков (1844—1908)

Лист (1811—1886) Барток (1881—1945) Кодай (1882—1967)

Еще немного о композиторах-романтиках

Композиторы не получали денег, пока публика не признавала их музыку.

Композиторы-романтики зарабатывали на жизнь концертами и изданием своих произведений. Поскольку патроны их не нанимали, они были свободны и могли экспериментировать. Поэтому романтическая музыка и отличается разнообразием.

Бетховен посвятил свою «Героическую» симфонию Наполеону Бонапарту. Но, когда тот объявил себя императором, композитор перечеркнул это посвящение.

Бетховен (1770—1827) был первым композитором-романтиком. Он адаптировал многие классические формы, наполнив их эмоциональным содержанием.

Чайковский (1840—1893) — первый русский композитор, получивший широкую известность за рубежом. Он писал музыку к балетам* («Спящая красавица», «Лебединое озеро», «Щелкунчик»), а также симфонии, оперы и камерные произведения.

Некоторые произведения Листа были настолько сложны, что исполнять их мог только сам автор.

Композиторы Лист и Шопен были еще и пианистами-виртуозами.

Большая часть произведений Шумана была навеяна литературой.

Слушаем романтическую музыку

Брамс: Венгерские танцы.
Бородин: Половецкие пляски из оперы «Князь Игорь» (3-й акт).
Шопен: Полонезы и мазурки (польские танцы).
Дворжак: Славянские танцы.
Фалья: «Треугольная шляпа» («El sombrero de tres picos»): балетные сюиты № 1 и № 2.
Григ: «Пер Гюнт».
Лист: Венгерские рапсодии.
Шуман: «Манфред» (по Байрону). «Крейслериана» (произведение для фортепиано, навеянное образом героя из произведения немецкого писателя Гоффмана).
Сибелиус: «Финляндия».
Сметана: «Моя страна» (6 симфонических поэм).

На с. 24—25 ты найдешь и другие названия произведений, которые было бы полезно послушать.

* Более подробно о балетной музыке читай на с. 42—43.

Музыка XX века

В начале XX столетия эксперименты в музыке вошли в моду. Поначалу подобные произведения могут показаться тебе сложными.

В противовес романтизму некоторые композиторы отказывались от чрезмерной эмоциональности. Они также искали и новые пути использования тональностей и гармонии.

Эксперименты с ключами

Соотношение звучания и ключа* называют тональностью. Это означает, что музыка основана на нотах определенной гаммы*.

Дебюсси (1862—1918) использовал целотонную гамму (см. справа).

Начиная с эпохи Ренессанса музыку писали в мажорном или минорном ключе. Композиторы XX века разработали гаммы, в которых ноты располагались по совершенно другим правилам. Поэтому современные произведения звучат порой необычно.

Верхняя партия написана в соль мажоре.

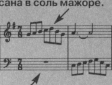

Басовая — в до мажоре.

«Петрушка»

Некоторые композиторы писали произведения с использованием нескольких ключей. Такая музыка называется битональной.

Музыка, написанная более чем в двух ключах, называется политональной, а вообще без ключей — атональной. Битональными являются части балета Стравинского «Петрушка». Подобный прием позволил создать образ человека-куклы.

Поздние романтики

На рубеже XIX и XX века некоторые композиторы еще придерживались романтического направления, начав экспериментировать с тональностями. Эти композиторы известны как представители позднего романтизма.

Романические темы:	Тенденции XX века:
Эмоции Трагедии Повествования	Новые аккорды и гармонии Частые смены или отсутствие тональности

Композитор Малер (1860—1911) был несчастным человеком. Трагическое мироощущение он выражал в своих симфониях. Он писал и в минорных, и в мажорных тональностях. Но в обоих случаях использовал новые и порой странно звучащие гармонии.

Импрессионисты

В реалистической живописи выписываются все детали картины.

Музыканты-импрессионисты старались средствами музыки выразить настроение. Название «импрессионизм» заимствовано из живописи. Художники-импрессионисты с помощью световых эффектов, цветных теней и особой техники пытались передать впечатление от увиденного.

Додекафонная музыка

На клавиатуре нотам хроматической гаммы соответствуют 12 белых и черных клавишей.

Ноты хроматической гаммы разделены полутоном.

В начале XX века композитор Шёнберг с учениками Бергом и Вебером изобрели новый стиль в музыке. В основе его лежит хроматическая гамма*. Такую музыку называют 12-тоновой, или додекафонной.

Национальный колорит

Композиторы национальной школы стали использовать усложненные тональные системы.

Яначек	Чехия
Барток и	Венгрия
Кодай	
Воан Уильямс и Холст	Англия

Яначек писал музыку, основанную на народных мелодиях. Он также ввел в свои произведения ритмы и другие элементы речи.

Импрессионист стремится передать атмосферу пейзажа.

Композиторы-импрессионисты: Дебюсси, Равель

Нотный звукоряд:

Нотный звукоряд в обратном порядке:

Нотный звукоряд, разделенный между двумя инструментами:

Измененная длительность нот:

Композитор устанавливает порядок, при котором каждая нота хроматической гаммы используется только один раз. Этот порядок называют серией. Звукоряд затем повторяется в различных вариантах.

* Все о ключах, гаммах, тонах и полутонах читай на с. 19.

Неоклассическая музыка

Классические формы:
Соната
Концерт
Симфония

Идеи XX века: Новые гармонии и тональности.

Композиторы неоклассицизма: Стравинский (сочинял также в додекафонной технике — см. с. 26). Прокофьев (использовал русский национальный колорит).

Приставка «нео» означает новое или современное. Некоторые композиторы отвергали романтический стиль в музыке. Они стремились сочетать современные инструментальные группы и новые гармонии с классическими формами.

Бытовая музыка

«Трехгрошовая опера» Вейля основана на простых, но необычных мелодиях.

Некоторые немецкие композиторы XX века вскоре поняли, что музыкальные эксперименты с трудом воспринимаются многими слушателями. Поэтому стали сочинять развлекательную музыку, которую назвали гебраухсмузик, или бытовой.

Минимализм

Изменение музыкальной фразы при повторении.

Композиторы-минималисты:
Филипп Гласс
Терри Райли
Стив Рейч

В 1960-е годы группа североамериканских композиторов изобрела минимализм. Произведения этого стиля состоят из повторяющихся с небольшими изменениями музыкальных фраз. Такая музыка более доступна для широкой публики.

Алеаторическая музыка

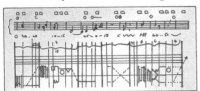

Общепринятые нотный стан и символы были недостаточны для алеаторики. Композиторы изобрели новый способ записи музыки.

В отличие от обычной музыки, где все точно записано, алеаторическая музыка основана на принципе случайности. Это могут быть, к примеру, музыкальные фразы, которые можно играть в любой последовательности.

В 1940-е годы алеаторическую музыку начал сочинять Джон Кейдж. Исполняя некоторые свои произведениях, он наполнял рояль разными предметами. Это делало звучание инструмента непредсказуемым.

Конкретная музыка

Композиторы: Шеффер, Генри

Французские музыканты в 1950-е годы использовали новую технологию. Они записывали звуки на магнитофонную пленку, а потом изменяли скорость, проигрывали записи в обратную сторону, создавая новый жанр. Такую музыку назвали конкретной.

Электронная музыка

Конкретная музыка: манипулирование реальными звуками на магнитофонной пленке.

Реальные звуки изменяются с помощью электроники*.

Электронная музыка: звуки воспроизводятся на синтезаторе.

Звуки синтезатора имитируют естественные.

В 1950-е годы, одновременно с появлением конкретной музыки, некоторые композиторы, в частности немец Карлхайнц Штокхаузен, стали использовать только что появившиеся синтезаторы* для создания электронной музыки.

Слушаем музыку

Поздний романтизм
Малер: Симфония № 5.
Рихард Штраус: «Так говорил Заратустра».

Национальная школа в XX веке
Яначек: опера «Приключения лисички-плутовки».
Барток: Румынские народные танцы.
Воан Уильямс: Лондонская симфония.

Импрессионизм
Дебюсси: «Море».
Равель: «Болеро».

Додекафонная музыка
Шенберг: Пять оркестровых пьес.

Неоклассицизм
Прокофьев: Классическая симфония.
Стравинский: балет «Петрушка».

Бытовая музыка
Вейль: «Трехгрошовая опера».

Минимализм
Олдфилд: «Трубчатые колокола».
Рейх: «Барабанный бой».

Алеаторика
Кейдж: «Уильямс Микс».
Булез: Третья фортепианная соната.

Конкретная музыка
Шеффер и Генри: «Симфония для одного человека».

Электронная музыка
Штокхаузен: «Мантра».

* О синтезаторах и другой технике, используемой в электронной музыке, читай на с. 29.

Акустика, или Что такое звук

Разница между музыкой и обыкновенным шумом заключается в том, что музыкальные звуки организованы в стройную систему, подчинены ритму и имеют определенную высоту звучания. Шумы состоят из хаотичных, не связанных между собой звуков.

Звуки, будь то музыкальные или шумовые, распространяются по одним и тем же законам. Знание того, как это происходит, поможет тебе понять принципы звучания инструментов.

Как распространяется звук

При вибрации мельчайшие частицы воздуха сжимаются, а затем разъединяются.

Прикосновение к струне вызывает вибрацию.

Звук рождается, когда какой-то предмет вибрирует и передает эти колебания другому предмету.

Давление воздуха. (На изображенной оси показано, насколько воздушные частицы сжаты или разъединены.)

Время

Это расстояние — длина звуковой волны. Высокий звук имеет высокую частоту колебаний, поэтому волна — короткая.

Это амплитуда колебаний. Она означает силу вибрации воздушных частиц. Громкий звук имеет бо́льшую амплитуду.

Звук можно изобразить графически. Красная изогнутая линия — это звуковая волна. Различные по качеству звуки могут быть изображены другими линиями.

Число колебаний звуковой волны в секунду называется частотой колебания. Единица измерения колебаний — герц. Высокая нота имеет и высокую частоту колебаний.

Почему звуки разные

В каждом звуке соединены и высокие, и низкие тоны. По отдельности они не слышны, но вместе дополняют общий тон звука. Они называются обертонами.

Обертоны

Упрощенный вид.

На фоне основного звукового потока обертоны изображены небольшими. К тому же они могут стать и еще более упрощенными.

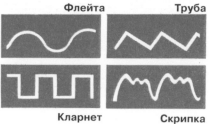

Флейта | Труба

Кларнет | Скрипка

От обертонов зависит тембр музыкального инструмента. На рисунке показаны звуковые волны, производимые разными инструментами.

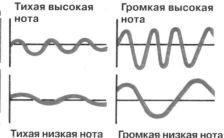

Тихая высокая нота | Громкая высокая нота

Тихая низкая нота | Громкая низкая нота

Основа звуковой волны остается неизменной, в то время как высота и объем звучания меняются.

Почему мы слышим звук

Наше внешнее ухо отбирает звуковые колебания и направляет их в голову. Там они достигают слухового нерва, который передает описание услышанного звука в кору головного мозга.

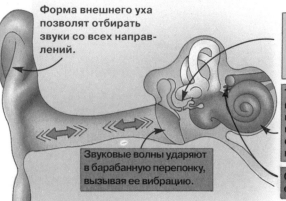

Форма внешнего уха позволят отбирать звуки со всех направлений.

Звуковые волны ударяют в барабанную перепонку, вызывая ее вибрацию.

Это три слуховые косточки. Они передают колебания звука от одной к другой.

Трубка, называемая улиткой. К ней примыкает третья из вибрирующих слуховых косточек. Вибрация передается через находящуюся внутри улитки жидкость.

Слуховой нерв воспринимает вибрацию внутри улитки.

Сила звука

Сила звука измеряется децибелами (дБ). Количество децибелов показывает громкость звука, исходящего из одного источника. Когда объем звука удваивается, показатель возрастает на 6 дБ. Небольшой винтовой самолет при взлете может производить шум силой в 95 дБ, а реактивный — 110 дБ.

Звук, громкость которого превышает 105 дБ, может привести к нарушению слуха, особенно если он продолжается долго.

* О том, как разные инструменты производят звук, можно прочитать на с. 30—31.

Электронные инструменты

Многие группы используют клавишные снитезаторы и электронные ударные инструменты. Ты можешь купить дешевый синтезатор. В такие музыкальные инструменты встраивают компьютерные механизмы, которые называют синтезаторными чипами. Они могут хранить и воспроизводить звуковые волны.

Как чип сохраняет звуковую волну

Синтезаторный чип сохраняет звуковую волну в виде последовательности цифр. Эти цифры отражают высоту волны при регулярных интервалах. Подобный метод называется цифровым.

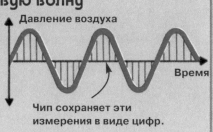

Давление воздуха

Время

Чип сохраняет эти измерения в виде цифр.

Клавишные синтезаторы

Клавишный синтезатор сохраняет различные звуковые волны в цифровом варианте. При этом достигается большое разнообразие звуков — от подражания музыкальным инструментам до жужжания или свиста. Они заложены в память инструмента, и чтобы они зазвучали, тебе нужно нажать соответствующую клавишу.

Клавиатура изменят высоту звука путем регулирования частоты звуковой волны.

Ты можешь соединить несколько электронных инструментов и управлять ими из одного места. Для этого необходим переключатель — цифровой интерфейс для музыкальных инструментов (MIDI). Он так преобразует сигналы с одного устройства, что их понимает другое.

На некоторых дорогих синтезаторах ты сможешь создавать новые звуки. Они сохраняют сразу несколько волн в цифровом варианте. Ты можешь смешать их, добавить или исключить обертоны и создать новые звуки.

MIDI, встроенный в клавиатуру, позволяет управлять также и электронными ударными.

В некоторых синтезаторах встроены секвенсеры. Они запоминают мелодии в цифровом виде, а потом их можно воспроизвести в любом темпе и в любой тональности. Одновременно ты можешь играть другую мелодию.

Электронные ударные

Электронные ударные использовались при записях всей рок-музыки.

Чтобы воспроизвести желаемый ритм, нажми соответствующую кнопку.

Игра со звуками

В А Г   ГАВ   ГАВ

ГАВ

Композиторы, работающие в сфере электронной музыки (см.с. 27), используют секвенсеры, сэмплеры и синтезаторы.

Сэмплер может запоминать и воспроизводить живые звуки. Однажды сохранив их, ты сможешь сочинять любые мелодии. Звук можно изменять: например, сыграть его в обратном направлении, изменить длину или сделать эхо.

В память ударных или ритмических машин заложены звуки тарелок, литавр или маракасов. Ты выбираешь звук и играешь в нужном ритме с помощью клавиш.

При желании ритм можно записать. Прибор будет автоматически его исполнять, а ты сможешь играть на другом инструменте.
В память машины также заложен и ритм. Для того чтобы он зазвучал, нажми соответствующую кнопку.

Почему звучат инструменты

Похожие инструменты можно встретить во всех странах мира. Это объясняется тем, что существует не так уж много способов извлечения музыкальных звуков. Все музыкальные инструменты звучат потому, что создают колебание воздушных частиц (см. с. 28). Инструменты делятся на семейства: ударные, струнные, духовые, электрические и электронные. В этом разделе ты сможешь познакомиться с принципами игры на всех инструментах.

Подробнее о семействах музыкальных инструментов см. с. 54—55.

Ударные

Чтобы эти инструменты зазвучали, по ним надо ударить.

Это можно сделать палочками.

Или ладонями.

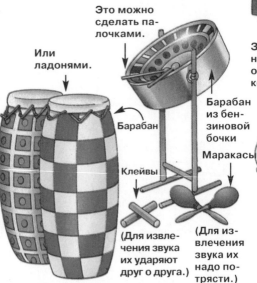

Барабан

Барабан из бензиновой бочки

Клейвы

Маракасы

Или ладонями.

(Для извлечения звука их ударяют друг о друга.)

(Для извлечения звука их надо потрясти.)

Звук ксилофона имеет обычную звуковую волну.

Звук тамбурина имеет несимметричную звуковую волну.

Существуют два вида ударных инструментов — с определенной и неопределенной высотой звучания. Первые воспроизводят музыкальные ноты. Вторые — шум.

Педальная тарелка

Простая тарелка

Малый барабан

Высокие барабаны

Большой барабан

Низкий барабан

Ударная установка состоит из нескольких инструментов.

Струнные инструменты

Для того чтобы струнный инструмент зазвучал, надо тронуть струну, ударить по ней или провести смычком. Чем толще, длиннее или свободнее натянута струна, тем ниже ее звук.

Вибрация струны заставляет вибрировать и частицы воздуха внутри инструмента, что обогащает звук и делает его объемным. Это явление называется резонансом.

Вибрация струны в ее отдельных частях

Струна вибрирует как по всей длине, так и в отдельных частях. Мелкая вибрация становится источником негромко звучащих, высоких нот, или обертонов (см. с. 28).

Скрипка

Контрабас

Дека

Сурдина

Подставка

На большой корпус можно натянуть длинные и толстые струны. Чем больше сам инструмент, тем ниже его звучание.

Струны бывают жильные, синтетические и металлические.

Чтобы извлечь звук из цитры, надо щипнуть струну.

Скрипичные струны опираются на деревянную пластину — подставку, которая служит ограничителем их звучащей части и проводником вибрации от струн к корпусу. Ты можешь приглушить звук, установив скобу — сурдину, которая снижает уровень вибрации.

Вибрация проникает в корпус гитары через резонаторное отверстие в верхней деке.

Мандолина

Балалайка

Ситар

Лютня

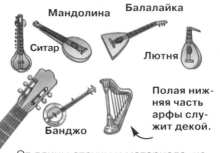

Банджо

Полая нижняя часть арфы служит декой.

От длины струны и материала, из которого она сделана, зависит число обертонов. Форма деки и обертоны формируют тембр инструмента.

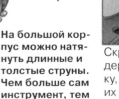

Духовые инструменты

Духовые инструменты звучат за счет вибрации воздушного столба внутри трубы. Закрывая отверстия клапанами, можно удлинить воздушный столб и сделать звук более низким.

Клапаны закрывают отверстия.

Этим рычажком регулируются верхние клапаны.

На большом инструменте отверстия настолько широки, что их нельзя закрыть пальцами. Для этого используют клапаны, которые дополнительно регулируют специальными рычажками.

Пластик

Серебро

Существуют два вида духовых инструментов: деревянные и медные. Они обычно сделаны, соответственно, из дерева или меди. Но в последнее время используют и другие материалы.

Как звучат деревянные духовые инструменты

Некоторые музыкальные инструменты звучат при рассечении воздуха об острый край.

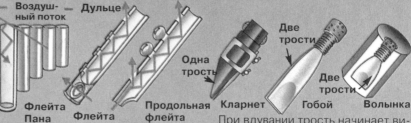

Воздушный поток — **Дульце**

Одна трость

Две трости

Две трости

Флейта Пана

Флейта

Продольная флейта

Кларнет

Гобой

Волынка

Эти духовые инструменты называются дульцевыми.

Инструменты, к мундштукам которых крепятся одна или две трости, называются тростевыми.

При вдувании трость начинает вибрировать и передает вибрацию воздушному столбу.

Как звучат медные духовые инструменты

Для игры на медном духовом инструменте надо заставить вибрировать губы. Ты можешь сыграть несколько нот на самой трубе, постепенно сжимая губы. Чтобы извлечь другие ноты, надо нажать на клапаны вентиля, тем самый включая остальные секции инструмента.

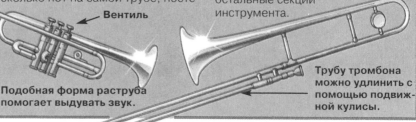

Вентиль

Подобная форма раструба помогает выдувать звук.

Трубу тромбона можно удлинить с помощью подвижной кулисы.

Клавишные инструменты

Клавишные инструменты относят к различным семействам в зависимости от того, каким способом они образуют звуки.

При нажатии на клавишу струна зажимается.

Когда ты отпускаешь клавишу, демпфер прекращает вибрацию.

При нажатии на клавишу молоточек ударяет по струне.

Демпфер прекращает звучание струны, когда ты отпускаешь клавишу.

Клавесин относится к струнным инструментом, поскольку звучание натянутых внутри струн достигается с помощью их щипков.

Струны рояля звучат, когда по ним ударяют молоточки клавишного механизма. Поэтому этот инструмент относят как к струнным, так и к ударным.

Орган состоит из труб, поэтому относится к семейству духовых. Каждая труба этого инструмента соответствует одной ноте.

Синтезатор считается электронным инструментом, поскольку воспроизводит звуки посредством электроники*.

Электрические инструменты

В этих инструментах для усиления звуковых волн служат не деки, а электричество. На рисунке показано, как работает электрогитара. (Электрические инструменты используют ток не только для усиления, но и для создания звуков)*.

Вибрирующие частицы воздуха вокруг струны подхватываются электричеством.

Ток преобразует вибрацию в электрические сигналы.

Сигналы посылаются в усилитель, где их громкость значительно возрастает.

Динамик преобразует электрические сигналы в звуковые колебания.

* Подробнее об электронных инструментах см. с.29.

Группы инструментов

Каждая группа инструментов в оркестре исполняет свою партию в произведении.
На этих двух страницах представлены инструменты, из которых состоят оркестры разных стран. Все они придают музыке характерное национальное звучание.

- ■ Струнные
- ■ Деревянные духовые
- □ Медные духовые
- ■ Ударные

Симфонический оркестр

Симфонические оркестры исполняют, в основном, европейскую, североамериканскую и русскую музыку. В их репертуаре не только симфонии. Состав оркестра может насчитывать свыше 100 музыкантов. Поэтому, чтобы добиваться слаженного звучания, требуется дирижер.

Ударная группа может состоять из различных представленных здесь инструментов. Это зависит от замысла композитора.

Большой барабан и тарелки	2—4 литавры
	Гонг
Малый барабан и треугольник	3 трубы
	3 тромбона
4 валторны	Ксилофон
1 арфа	2 кларнета 2 фагота
1 басовый кларнет	2 флейты 2 гобоя 1 контрафагот 1 туба
2 флейты-пикколо	1 английский рожок
12 вторых скрипок	12 альтов 8 контрабасов
12 первых скрипок	10 виолончелей

Дирижер

Дирижер задает темп, держит его и следит за исполнением произведения (см. с. 44).

Симфонический оркестр состоит из струнных, духовых и ударных инструментов. Это дает композитору широкие возможности для достижения желаемых эффектов. Он делает это путем выбора определенных инструментов, играющих одновременно, внося контрасты в их звучание.

В некоторых симфониях, особенно романтических, требуется участие всех инструментов. В других нужен ограниченный состав.

Настраиваем инструменты

Когда все инструменты группы одновременно играют одни и те же ноты, они должны идеально совпадать по высоте. Если этого не происходит, значит, инструменты группы не настроены.

Давление воздуха

Нота на октаву выше другой имеет двойную частоту звучания*.
Ля первой октавы (440 Гц).

→ Время

Нота *ля* октавой ниже (220 Гц).

→ Время

Частота звучания* *ля* первой октавы составляет 440 Гц, и ее называют концертной. Все инструменты оркестра настраиваются именно по этой ноте.

Музыкальные инструменты могут расстроиться из-за колебания температуры и влажности воздуха. В этом случае высота нот слегка меняется.

От жары натяжение струн ослабевает, и ноты звучат ниже.

Чтобы натянуть струны, надо повернуть эти колки.

От напряжения колок чуть заметно поворачивается, ослабляя натяжение струны.

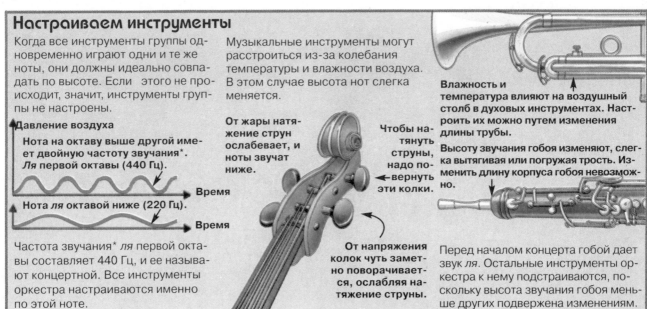

Влажность и температура влияют на воздушный столб в духовых инструментах. Настроить их можно путем изменения длины трубы.

Высоту звучания гобоя изменяют, слегка вытягивая или погружая трость. Изменить длину корпуса гобоя невозможно.

Перед началом концерта гобой дает звук *ля*. Остальные инструменты оркестра к нему подстраиваются, поскольку высота звучания гобоя меньше других подвержена изменениям.

* Частотой звучания называется количество колебаний звуковой волны в секунду. См. с. 28.

Оркестр гамелан

Гамелан — это индонезийский национальный оркестр. Он состоит из ударных инструментов, однако иногда добавляются духовые и струнные. В оркестре около 40 музыкантов. Во всех городах Индонезии есть свой гамелан, играющий на местных инструментах. У каждого оркестра свое индивидуальное звучание. Музыка строится вокруг двух гамм, состоящих из пяти нот. Музыканты заучивают мелодии наизусть. Они могут импровизировать, но должны придерживаться основной структуры, чтобы избежать неразберихи.

Южно- и западноафриканские ансамбли

Южно- и западноафриканская музыка базируется на энергичном ритме. Он носит спонтанный характер, и каждый может его повторить.

Каждый музыкант добавляет к уже существующему свой ритм. Такое наслоение ритмов называется полиритмией.
К музыкантам могут присоединяться певцы. Часто их пение строится в форме вопросов и ответов: один из певцов пропевает какую-то фразу, а другой — отвечает ему.

Индийские исполнители

Индийская музыка не записывается на бумагу. Музыканты выучивают наизусть мелодии (раги) и ритмы (талы), на основе которых затем импровизируют. Существуют сотни разных раг, предназначенных для определенного времени года или суток.
Музыканты стремятся создать определенное настроение. Они играют долго — до тех пор, пока удается поддерживать соответствующее настроение или пока не будут израсходованы все возможные средства импровизации.

Исполнитель на ситаре импровизирует на темы раг.

Исполнитель на тамбуро время от времени повторяет главную ноту раги. Это создает эффект, похожий на гудение волынки.

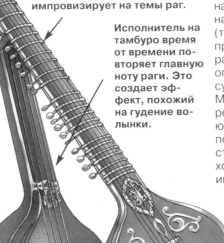

Играющий на табле отбивает ритм, называемый тала.

Слушаем музыку

Предлагаем тебе послушать записи оркестра гамелан, которые можно заказать в фонотеке. Попытайся также найти некоторые из перечисленных здесь записей африканских и индийских музыкантов.

Индонезийский оркестр гамелан

Гамелан «Фемар Пегулинган». «Жасминовый остров»: играет оркестр гамелан о-ва Ява.

Западная Африка

Мустафа Теттей Адди (ударник из Ганы).
Бааба Маал (Сенегал).
Кинг Санни Аде (Нигерия).
Джали Муса Джавара (Гвинея).

Южная Африка

Группа «Махлатхини и Махотелла Куинз» исполняет музыку под названием «Мбаганга», что в переводе означает «Джаз маленького городка».
Джаз-бэнд «Макгона Чоле».
«Ледисмит Блэк Мамбазо».

Музыка для ситара

Устад Вилайят Кхан
Рави Шанкар

Все о вокале

Что придает красоту певческому голосу? В разных странах мира люди по-разному отвечают на этот вопрос. Например, в китайской опере красивыми считаются гнусавые голоса, звучащие с носовым оттенком.

Европейские певцы предпочитают более наполненный звук. Различные голоса соответствуют разным стилям пения. Классическому певцу требуется сильный чистый голос, который слышен в самых дальних уголках концертного зала. Рок- и джаз-исполнители обладают непоставленными и более разнообразными голосами. Они вовсе не должны быть сильными, поскольку во время концерта используются микрофоны.

Голосовой аппарат

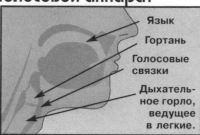

Язык
Гортань
Голосовые связки
Дыхательное горло, ведущее в легкие.

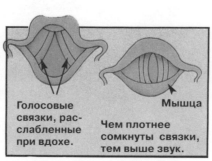

Голосовые связки, расслабленные при вдохе.
Мышца
Чем плотнее сомкнуты связки, тем выше звук.

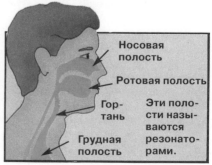

Носовая полость
Ротовая полость
Гортань
Грудная полость
Эти полости называются резонаторами.

Твой голосовой аппарат, подобно всем музыкальным инструментам, работает, создавая вибрацию воздушных частиц. Процесс начинается в гортани, где ее перекрывают две эластичные складки — голосовые связки.

При вдохе голосовые связки расслабляются и пропускают воздух. При пении или речи мышцы плотно стягивают их. Давление воздуха, проходящего между туго натянутыми связками, заставляет их вибрировать.

Вибрирующие голосовые связки заставляют колебаться частицы воздуха в гортани. Грудная, гортанная, ротовая и носовая полости начинают резонировать*. Вместе с выдохом через рот вырывается наружу и звуковая волна.

Диапазон голоса

Тенор

Бас

Сопрано (жен.)
Дискант (детск.)

Контральто или альт (жен.)
Контр-тенор (муж.)

У большинства женщин — меццо-сопрано**.

У большинства мужчин — баритон.

Певец испытывает трудности, если ему приходится брать непривычно низкие или высокие ноты. Каждый голос имеет свой звуковой объем — диапазон. Диапазоны большинства голосов соответствуют приведенным выше категориям. Твой голос уникален, поскольку размер голосовых связок у всех людей разный. Немного отличаются друг от друга и резонаторы. Это изменяет конфигурацию производимых звуковых волн.

Пойте правильно

Гораздо легче правильно спеть ноту, если перед этим мысленно представить себе ее звучание. Это поможет мозгу послать максимально четкую команду мышцам гортани.

Расслабься так, чтобы воздух из легких мог беспрепятственно проходить через гортань. Иначе напряжение может привести к сокращению горловых мышц и зажатому звуку.

Встань прямо, чуть расставив ноги, чтобы сохранить равновесие.

Не давай голове опускаться. Подними подбородок.

Не забудь расслабить плечи, чтобы не появилось излишнего напряжения во время пения.

Глубоко вдохни.

Следи, чтобы воздух проходил через гортань совершенно свободно.

Широко открой рот, чтобы твой голос был лучше слышен. Ротовая полость — своеобразный громкоговоритель.

Направь звук к противоположной стене комнаты.

Во время пения вдох должен быть глубоким, а выдох ровным. Дыхание необходимо как для формирования звука, так и для его воспроизведения. При неровном и неглубоком дыхании изменяется давление воздуха в легких. Результатом могут стать качающийся звук и нотная фальшь.

* О том, что такое резонанс, читай на с. 30.
** «Меццо» в переводе с итальянского означает «середина».

Учимся петь

Занятия с хорошим педагогом и применение правильной методики могут исправить дефекты в звучании твоего голоса. Ты научишься правильно использовать свой голос, показав его наилучшие качества.

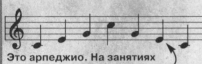

Это арпеджио. На занятиях ты можешь петь несколько арпеджио, каждый раз начиная на полтона выше предыдущего.

Пение гамм делает мышцы, управляющие голосовыми связками, более эластичными. Это помогает более точно брать ноты.

Это гамма.

Дыхательные упражнения, которые показаны ниже, улучшают контроль над дыханием. Это поможет петь длинные фразы на одном дыхании и добиться контрастности звука.

Положи ладони на нижние ребра; пальцы сомкнуты. Дыши всей грудью и постарайся добиться, чтобы при вдохе твои пальцы расходились.

Раскованность и удобная поза влияют на резонанс звуковых волн. Это улучшает тембр голоса. Рекомендуемые ниже упражнения помогут тебе расслабиться и выпрямиться.

Поем слова

РЕЧЬ	ПЕНИЕ
Я люблю тебя	*Я-а лю-ю-блю-ю те-е-ебя-я*
Луна светит ярко	*Лу-у-у-на-а све-е-е-ти-ит я-а-арко-о*

Отчетливо и плавно можно пропеть только гласные звуки. Постарайся максимально оттянуть произнесение согласных.

Извините, но собака съела ваш ужин
> > >
Я пою воскресный ночной блюз
> > >

> **Знак > означает легкое выделение слова, под которым он поставлен.**

Если одинаково петь каждое слово, пение получится скучным. Акцентируй слова так, как будто ты проговариваешь их.

Приставь карандаш к верхним зубам сзади. Говори так в течение минуты. Когда ты уберешь карандаш, произношение станет более чистым.

При тихом и мягком пении постарайся представлять себе, какую форму принимают твои губы для более ясного произнесения слов. Описанное выше упражнение должно исправить твое произношение.

Приемы пения

Боб Дилан наполовину поет, наполовину проговаривает свои песни.

Фрэнк Синатра пел глухим голосом. Такой способ пения называется круном.

Один из приемов пения Брюса Спрингстина — мелодичное рычание.

Слышимость пения в зале связана с полетностью звука. Классические певцы долгое время обучаются этому искусству.
Рок-, поп- и джаз-певцы поют в микрофоны, поэтому им не нужно заботиться о силе звучания голо-

Поем все вместе

Пение в хоре, когда исполнители одновременно поют разные ноты, называется многоголосным. Хоровые партии обычно распределяются так:

Тенора	Первые басы	Вторые басы
Первые сопрано	Вторые сопрано	Альты

Это универсальная группа. Каждую партию исполняют один или два певца.

Иногда трудно чисто исполнять свою партию, когда соседи буквально над ухом поют совершенно другие мелодии. Поэтому постарайся мысленно воспроизводить свою партию во время пения.

> C**********C*
> ***C*******C
> *****CC**.

При этом обрати особое внимание на звук «С». Он более продолжительный, чем другие согласные, поэтому хористы поют его очень тихо. Это позволяет избежать нежелательного шипения или свиста.

са. Эстрадные певцы пользуются самыми разными вокальными приемами. Они могут петь хриповатым голосом, вполголоса, наполовину петь, наполовину проговаривать текст.

Песенная и хоровая музыка

До изобретения в XV веке книгопечатания люди узнавали новые произведения только от профессиональных музыкантов. С появлениим печатных станков любители музыки стали покупать ноты для пения и домашнего музицирования.

Большинство классических хоровых произведений было написано для исполнения во время христианских богослужений. В прошлом профессиональные хоры состояли при церквах.

Музыка для месс

Главная католическая служба называется мессой. Средневековые монахи пели во время месс григорианские хоралы. На протяжении последующих веков композиторы специально писали мессы для церковных хоров.

Реквием — это погребальная месса.

Католический собор внутри

Первые гимны

Службы в протестантских храмах были проще, чем в католических.

В начале XVI в. Мартин Лютер, отвергавший основные догматы католицизма, установил новый порядок богослужения. Его последователей стали называть протестантами. Лютер хотел, чтобы пели все присутствующие в храме. Именно он ввел в церковный обиход хоралы, которые позже стали первыми гимнами, исполнявшимися во время протестантских служб.

Симфонии для хора и оркестра

Хоровая симфония пишется для хора и симфонического оркестра. При этом строго соблюдаются равновесие и контрасты между хором и инструментальными партиями.

Оратория

Солисты — Дирижер — Солисты

Оратория исполняется солистами и хором в сопровождении оркестра. Она основана, как правило, на библейском сюжете. В оратории используется три типа пения: речитатив, хор и ария. Но при этом отсутствуют театральные костюмы и декорации.

Речитатив

В речитативе солист рассказывает сюжет. Мелодия отражает изменения в ритме и речи солиста. Клавесин или орган поддерживает мелодию аккордами.

Ария

Ария — это мелодичное, похожее на песню, соло, исполняемое в сопровождении оркестра. Обычно она выражает раздумья героя.

Хор

Хор — это ария в исполнении большой группы людей.

Кантата

«Кантата» в переводе с итальянского означает «поющийся».

Кантата — произведение для солистов, хора и оркестра. От оратории отличается меньшими размерами. Кантаты пишутся как на светские, так и на религиозные сюжеты.

Каноны

Канон | Когда первый исполнитель допоет до этой ноты, вступает второй. | Когда первый исполнитель поет эту ноту, вступает третий.

Канон можно петь или исполнять на музыкальных инструментах. При этом каждый исполнитель поет или играет одну и ту же мелодию и вступает с запозданием на несколько тактов. Все голоса хорошо сочетаются вместе. Мелодию канона можно петь и играть в разных темпах и направлениях.

Мадригалы

В XVI столетии мадригалами называли популярные песни. Мадригал включал от двух до шести голосов. Каждый певец исполнял свою партию. Существовали разные виды мадригалов.

> Некоторые мадригалы были полифоничны*, другие писались для соло с инструментальным сопровождением. Были мадригалы, основанные на танцевальном ритме. У солиста звучала основная темы, а хор пел «тра-ля-ля-ля!»

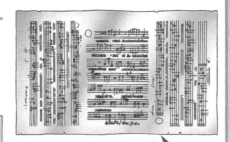

Этот мадригал напечатан так, чтобы все три певца могли петь текст с одной и той же страницы.

Романсы и песенные циклы

Стихи

+

Слова, положенные на музыку

+

Фортепианное сопровождение

Фортепианный аккомпанемент создает атмосферу, в том числе театральную.

В XIX веке одним из ведущих жанров стал романс — стихотворение, положенное на музыку, с фортепианным аккомпанементом. Шуберт (1797—1828) написал более 600 песен. Однажды он сочинил восемь песен за один день. Шуберт также писал песенные циклы, то есть песни, связанные между собой единым замыслом.

Речевое пение, или шпрехштимме

Композитор Шёнберг создал новый вокальный стиль, в котором соединил элементы речи и пения. Этот стиль получил название шпрехштимме, то есть говорящий голос. Исполнителю необязательно точно петь все ноты, очень часто их можно заменять речью.

Цикл Шёнберга «Лунный Пьеро» написан в стиле шпрехштимме.

> Элементы речи:
> Ритм и высота аналогичны речи. Мелодический рисунок соответствует подъемам и падениям рисунка речи. Голос скорее проскальзывает между нотами, а не берет отдельно каждую из них.

> Песенные элементы:
> Вокальная техника используется для достижения полетности звучания и четкости речи. Мелодический рисунок определен композитором.

Слушаем музыку

Месса эпохи барокко
Шарпантье: «Полуночная месса».

Месса эпохи классицизма
Моцарт: «Коронационная месса».

Месса XX века
Яначек: «Глаголическая месса».

Реквиемы
Форе: «Реквием».
Бриттен: «Военный реквием». В этом произведении использованы стихи английского поэта Уилфрида Оуэна, погибшего во время Первой мировой войны.

Хоралы
Бах: Хоры из кантаты 147.

Симфонии для хора и оркестра
Бетховен: Симфония № 9.
Малер: Симфония № 9.
Бриттен: «Весенняя симфония».

Оратории
Гендель: «Мессия».
Гайдн: «Сотворение мира».
Элгар: «Сновидение Геронтиуса».
Типпетт: «Дитя нашего времени».

Кантаты
Бах: «Рождественская оратория».
Мендельсон: «Хвалебная песнь».
Бриттен: «Несчастное сердце».

Мадригалы
Мадригалы писали композиторы Морлей, Берд, Таллис, Гиббонс, Монтеверди и др.

Песни
Шуберт: «Лесной царь», «Форель».
Брамс: «Колыбельная».
Рихард Штраус: «Утро».

Песенные циклы
Шуберт: «Прекрасная мельничиха».
Шуман: «Любовь поэта».
Берлиоз: «Летние ночи».
Бриттен: «На этом острове».

Шпрехштимме
Шёнберг: «Лунный Пьеро».
Берио: «Секвенция III».

* Каждая партия является самостоятельной мелодией.

Опера

Опера — это музыкальный спектакль. Текст, или, как его называют, либретто, либо целиком положен на музыку, либо частично проговаривается.

Как появилась опера

Опера родилась в Италии в самом конце XVI столетия. Первые оперы целиком состояли из речитативов*. Это была попытка возродить традиции греческой драмы, в которой актеры, скорее всего, декламировали тексты под музыку. Оперные спектакли ставились в домах состоятельных аристократов.

Речитативы исполнялись под аккомпанемент клавесина или органа, а также виолончели, игравшей партию цифрованного баса**.

Оперы Монтеверди

Итальянский композитор Монтеверди (1567—1643) ввел в оперу арии, хоры и танцы. Это сделало оперные спектакли более живыми и веселыми. Речитативы Монтеверди использовал для диалогов или пересказа содержания оперы. Такой принцип стал традиционным для оперы, и скоро она приобрела широкую популярность. Для большего воздействия на публику в спектаклях стали использовать пиротехнику, водяные конструкции, люки, трапеции и т. п.

Оперные певцы

Имеющие успех у публики оперные певцы становились знаменитыми. Композиторы нередко писали партии для определенных исполнителей. Некоторые солисты соглашались петь только наиболее выигрышные для их голоса партии. Сложная ария, позволяющая певцу показать свои вокальные возможности, называется колоратурной.

Опера-сериа

«Опера-сериа» в переводе с итальянского означает «серьезная опера». К этому виду относятся итальянские оперы на сюжеты мифов о древнегреческих богах и героях. В подобных операх отсутствовали хоры, а потому постановка их обходилась довольно дешево.

Ходить в оперу было модным. Однако публика не всегда слушала музыку, считая посещение спектакля очередным выездом в свет. Во время пения в зале не смолкали разговоры, кое-кто даже играл в шахматы.

Комическая опера

Появление в начале XVIII столетия комической оперы стало реакцией на оперу-сериа. Музыка комической оперы была проще, а сюжет рассказывал о жизни простых людей, а не о вельможах и героях.

Итальянская комическая опера получила название опера-буффа. Иногда оперы-буффа и сериа переплетались между собой. Такое смешение существует, например, в опере Моцарта «Свадьба Фигаро» (1786).

Английская комическая опера получила название балладной оперы. Речитативы в ней заменяла простая разговорная речь. Очень часто музыка основывалась на популярных народных песнях. В «Опере нищих» (1728) английского композитора Джона Гея высмеивается итальянская опера-сериа.

Немецкая комическая опера называется зингшпиль.

---

* О речитативах, ариях и хорах читай на с. 36.
** О том, что такое цифрованный бас, можно прочитать на с. 20.

Итальянская опера в Лондоне

Композитор Гендель (1685—1759)*, живя в Лондоне, писал итальянские оперы-сериа. Какое-то время они пользовались успехом, но затем публика стала отдавать предпочтение балладным операм. Были популярны также хоровые произведения, и Гендель начал сочинять оратории**.

Французская опера

Итальянец Люлли (1632—1687), «маэстро королевской семьи», возглавлял музыкальную жизнь Людовика XIV. Он и его последователь Рамо (1683—1764) — основатели французской оперной школы. Вот некоторые ее особенности:

- Либретто писалось на французском языке.
- Французская опера была более торжественной, чем итальянская.
- Король любил балет, поэтому в каждой опере были танцевальные сцены.
- Для французской оперы характерна развернутая и сложная увертюра. Увертюры к итальянским операм были проще.

Опера-комик

Французская опера-комик — разновидность комической оперы. Речитативы в ней заменены бытовой речью. Но эти спектакли не всегда комичны по содержанию. Так, опера-комик Бизе «Кармен» (1875) имеет трагический финал.

Большая опера

Оперу-серна XIX века стали называть большой оперой. В этих операх нет разговорных диалогов. Они писались на героический сюжет, в них участвовал большой хор, а декорации и костюмы отличались пышностью. На фото — сцена из оперы итальянского композитора Верди (1813—1901) «Аида».

Музыкальные драмы Вагнера

Рихард Вагнер (1813—1883) стал создателем новой оперы, в которой музыка звучит непрерывно. Свои оперы композитор называл музыкальными драмами. Вагнер сам писал либретто, поэтому слова и музыка в его операх тесно связаны.

Для характеристики действующих лиц, каких-то идей и явлений Вагнер использовал музыкальные темы — лейтмотивы. Лейтмотивом может быть мелодия или последовательность аккордов. Они звучат в соответствующих местах.

Кольцо

Валькирия (воинственная дева скандинавских мифов).

Дракон Фафнер

Меч

У всех этих героев и предметов из опер Вагнера есть свои лейтмотивы.

Сюжеты опер Вагнера основаны на древних германских и скандинавских легендах. Слева — сцена из оперы «Лоэнгрин» о средневековом рыцаре.

Опера XX века

Опера Бриттена «Питер Граймс» — о рыбаке, изгнанном из общества.

В XX веке композиторы стали изучать человеческое сознание и психику. Оперная музыка приобрела бо́льшую психологическую глубину.

Оперетта

Сцена из оперетты Оффенбаха «Орфей в аду».

Оперетта — это музыкальный спектакль с романтическим или комедийным сюжетом. Действие сопровождается инструментальной музыкой, пением и танцами.

Мюзикл

«Призрак в опере» — один из самых известных мюзиклов Эндрю Ллойд Уэббера.

Мюзиклы выросли из оперетты. В этих спектаклях песни и танцы создают атмосферу, а все тексты произносятся обычной речью. Сюжеты могут быть самыми разными.

* Дополнительно о Генделе см. с. 20.
** Дополнительно об ораториях см. с. 36.

Идем в оперу

Большинство опер написано на итальянском, французском или немецком языке. Иногда театры исполняют их на языке своей страны. Следить за развитием действия довольно трудно, поэтому, собираясь в оперу, постарайся прочитать либретто. Часто его можно найти и в программке спектакля.

Оперные звезды

Здесь перечислены лишь некоторые из звезд мировой оперной сцены.

Кири Те Канава

Сопрано:

Кири Те Канава (Новая Зеландия).

Джесси Норман (США).

Джоан Сазерленд (Австралия).

Грэйс Бамбри (США).

Грэйс Бамбри

Меццо-сопрано:

Мерилин Хорн (США).

Тереза Берганза (Испания).

Фредерика фон Штейд (США).

Пласидо Доминго

Тенора:

Пласидо Доминго (Испания).

Лучано Паваротти (Италия).

Хосе Каррерас (Испания).

Томас Аллен

Баритоны:

Томас Аллен (Англия).

Шеррилл Милнс (США).

Сэмюэл Рейми (США).

Уиллард Уайт

Басы:

Уиллард Уайт (Англия).

Роберт Ллойд (Англия).

Джон Томлинсон (Англия).

Известные оперные театры мира

Сиднейский оперный театр (Австралия) — открыт в 1973 г.

Ла Скала в Милане (Италия) — построен в 1778 г.

Королевский оперный театр в Лондоне (Англия) — построен в 1732 г., в последний раз реконструирован в 1858 г.

Метрополитен опера в Нью-Йорке (США) — построен в 1966 г.

Мариинский театр оперы и балета в Санкт-Петербурге (Россия) — построен в 1860 г.

Байрейтский театр (ФРГ) — построен в 1876 г. по инициативе Вагнера для постановки его опер.

Слушаем оперу

Первые оперы
Монтеверди: «Орфей», «Коронация Поппеи».

Опера-серия
Моцарт: «Идоменей».

Опера-буффа
Россини: «Севильский цирюльник».
Моцарт: «Свадьба Фигаро», «Дон Жуан».

Балладная опера
Гэй: «Опера нищих».

Зингшпиль
Моцарт: «Волшебная флейта».

Комическая опера
Бизе: «Кармен».
Гуно: «Фауст».

Музыкальная драма
Вагнер: тетралогия «Кольцо нибелунга»: «Золото Рейна», «Валькирия», «Зигфрид», «Гибель богов»; оперы: «Летучий голландец», «Лоэнгрин».

Большая опера
Россини: «Вильгельм Телль».
Верди: «Аида», «Набукко», «Дон Карлос», «Аттила», «Симон Бокканегра», «Ломбардцы», «Сицилийская вечерня».

Опера XX века
Бриттен: «Питер Граймс».
Типпетт: «Свадьба в Иванов день».
Джозефс: «Ребекка».
Гершвин: «Порги и Бесс».

Оперетта
Оффенбах: «Орфей в аду».
Иоганн Штраус: «Летучая мышь».
Оперетты Гилберта и Салливана

Мюзиклы
Лоу: «Моя прекрасная леди».
Бернстайн: «Вестсайдская история».
Роджер и Хаммерштейн: «Оклахома», «Южный Пасифик».
Барт: «Оливер».
Эндрю Ллойд Уэббер: «Эвита», «Призрак в опере», «Кошки», «Аспекты любви».

Кино- и фоновая музыка

Музыка подобна лишенному слов языку, который вызывает у людей эмоциональную реакцию. Именно поэтому музыка помогает создать особую атмосферу в кинофильмах и телепередачах. Она способна вызвать нужное настроение.

Музыка помогает человеку расслабиться. Поэтому в некоторых общественных местах постоянно звучит музыкальный фон. Однако не всех людей такая монотонная музыка успокаивает, иных она, наоборот, раздражает.

Музыка для кино

Фильм может начинаться и заканчиваться специальной темой. В остальных эпизодах звучат вариации на эту тему. Это придает самобытность фильму.

Тема в начале фильма создает настроение у зрителя.

Драматическая музыка в эпизодах формирует атмосферу.

Веселая музыка звучит в фильме со счастливым концом.

Звуковые системы кинозалов

Кинозал обычно оборудован четырьмя системами динамиков. Каждая система может состоять из нескольких динамиков. Звук доносится с любой стороны зала в зависимости от того, какая система работает в данный момент. Подобный способ воспроизведения звука называется долби стерео.

Динамик

Система состоит из шести соединенных динамиков и обеспечивает звучание из задней части зала.

Экран

Разговорная речь звучит впереди рядом с актерами на экране.

Голоса и звуки толпы несутся со всех сторон, из всех динамиков.

В фильмах ужасов звуки и шум могут неожиданно зазвучать из задних динамиков.

Как пишется музыка к фильму

Продюсер выбирает композитора и заказывает ему музыку для своей картины. Они обсуждают, для каких сцен и какая потребуется музыка. Композитору нужно знать, сколько времени длится эпизод, чтобы музыка соответствовала действию на экране.

Кадр из фильма

01.23.56.12

За секунду в фильме проходит 24 кадра. На рисунке ты видишь 12-й кадр одной секунды.

Композитор получает первоначальный вариант фильма на видеокассете. Каждый кадр имеет свой порядковый номер. Также указываются час, минута и секунда его прохождения. Это помогает композитору рассчитать длительность эпизода и музыки, которая должна его сопровождать.

Музыка немого кино

Звуковое кино появилось в 1930-х годах. До этого каждый кинотеатр нанимал тапера — пианиста, сопровождавшего фильм музыкальной импровизацией. Стандартные темы звучали во время любовных или страшных эпизодов.

Фоновая музыка

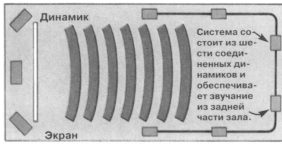

Фоновая музыка, звучащая в магазинах, нацелена на то, чтобы покупатель расслабился и побольше купил.

Такая музыка предназначена для тех, кого угнетает тишина. Чаще всего фоновая музыка — это инструментальные вариации на темы хорошо известных песен или популярных классических произведений. При

этом музыка не должна раздражать или приковывать к себе внимание. Очень часто в качестве музыкального фона используется песня группы «Битлз» «Yesterday».

Вот те места, где чаще всего звучит фоновая музыка:
Супермаркеты
Лифты
Залы ожидания
Кафе
Железнодорожные вокзалы
Спортивные центры

Танцевальная и балетная музыка

Танцы — прекрасная возможность развлечься на музыкальной вечеринке. Когда звучит музыка в стиле диско, ты не можешь усидеть на месте и начинаешь танцевать.

Некоторые танцы, например балетные, настолько усложнились за время существования, что исполнять их могут лишь профессионалы. А публика наслаждается их искусством и грацией.

Во всех танцах именно музыка определяет движения.

Танцы имеют социальное значение. Поэтому большинство народной и популярной музыки — это танцы.

Ритуальный танец жителей Шри-Ланки. Некоторые богослужения включают танец, хотя в средние века христиане связывали танцы с развлечениями и фривольностью, совершенно несовместимыми с религией.

Актеры японского театра но исполняют медленные танцы, напоминающие пантомиму под музыку.

История балета

Первая

Вторая

Пять основных позиций ног в балете

Третья   Четвертая   Пятая

Мари Тальони (1804—1884) — первая балерина, танцевавшая на кончиках пальцев ног (на пуантах).

В XV—XVI веках при дворах королей и знатных вельмож устраивались представления, включавшие пение и танцы. Именно отсюда и ведет свое начало история балетного искусства. Французский король Людо-

вик XIV правил с 1643 по 1715 год. Он стал основателем первой в истории балетной школы. Балетные па носят французские названия, потому что это искусство родилось во Франции.

В XIX веке балет превратился в особый вид искусства со строгими техническими правилами. Позднее его назовут классическим балетом. В таких балетах всегда есть сюжет.

Призраки девушек, не доживших до свадеб, впервые появились в балете Адана «Жизель».

В первой половине XIX века в балетах стали использовать романтические темы: истории трагической любви, потусторонние явления и т. п.

Балет Чайковского «Спящая красавица». Принц пробуждает заколдованную принцессу.

Расцвет классического балета приходится на конец XIX века. Танцевальное искусство в балетах той поры достигло совершенства.

Сцена из современного балета «Четыре темперамента»

В балетах XX века эмоции иногда превалируют над содержанием. Однако движения основаны на классической технике.

Современный танец

Некоторые танцовщики XX века выступали против жесткой дисциплины классического танца. Они разработали новые — не столь строгие и идущие от музыки движения. В результате появился танцевальный стиль, который называют танцем модерн.

Классическая балерина танцует на пуантах, что придает ей воздушность и хрупкость. Партнер должен выглядеть сильным и мужественным.

Современные танцовщики могут выступать босиком и использовать свой вес для создания дополнительных эфектов.

Постановка балета

Балетмейстер отрабатывает движения с танцовщиками.

Одни балеты создаются на специально написанную для них музыку. Другие ставятся на уже известные музыкальные произведения. Автор и постановщик балета называется балетмейстером.

Музыка и настроение

Музыка придает настроение балету или танцу. Важно все: и ритм, и мелодия, и выбор инструментов.
Изменению настроения и музыки обычно соответствует и смена сцены. Контрасты помогают поддерживать интерес у публики.

Музыка Стравинского к балету «Весна священная», по замыслу композитора, должна была звучать с первобытной дикостью. В балете показан древний ритуал, во время которого выбирают девушку для принесения в жертву и она умирает в танце.

Оркестр располагается прямо перед сценой.

В классических балетных постановках музыку исполняет живой оркестр. В современном балете иногда используют также и магнитофонную запись.
В некоторых современных танцах вместо музыки звучит речь. Иногда представления проходят в полной тишине. Исполнители сохраняют чувство ритма в воображении и ощущают его в своем теле.

Слушаем балетную музыку

Возможно, тебе не удастся найти полные записи всех перечисленных балетов. Тогда послушай альбомы с наиболее популярными фрагментами из них.

Романтическая балетная музыка
Адан: «Жизель».
Шейцхоффнер: «Сильфида».

Классическая балетная музыка
(вторая половина XIX века)
Чайковский: «Лебединое озеро», «Спящая красавица», «Щелкунчик».
Делиб: «Коппелия».

Поздняя классическая балетная музыка
Шопен: «Сильфиды» (1909).
Дебюсси: «Послеполуденный отдых Фавна» (1912).
Стравинский: «Жар-птица» (1910), «Весна священная» (1913).

Балет XX века
Фалья: «Треугольная шляпа» (1919).
Прокофьев: «Ромео и Джульетта» (1935).
Франк: «Симфонические вариации» (1946).
Равель: «Дафнис и Хлоя» (1910).
Джоплин: «Сложное синкопирование» (1974).

Американская балетная музыка
Копленд: «Парень Билли» (1938), «Родео» (1942), «Аппалачская весна» (1944).

Сочинение и исполнение

Сочинение и исполнение музыки требует мастерства и вдохновения. Для того чтобы воплотить свои идеи в музыке, нужно подготовиться технически. Вдохновение поможет оживить произведение и наполнить его чувством.

Вдохновение необходимо и дирижеру, который управляет большим коллективом музыкантов.

Как работает композитор

Многие композиторы сочиняют мелодии и гармонии прямо за инструментом, а иногда вместе с другими музыкантами во время джэм-сейшна.

Рукописи Бетховена были неопрятными.

Композитор создает сначала первый вариант произведения, после чего вносит в него исправления и дополнения.

Одна из рукописей Моцарта.

Моцарт мог сочинять большие оркестровые произведения в голове и только потом без изменений переносить на бумагу.

Композитору нужно вдохновение. Оно может посетить сочинителя неожиданно.

Дирижерское искусство

Оркестр можно сравнить с большим музыкальным инструментом, на котором играет дирижер. Чем меньше инструментальная группа, тем меньше усилий прилагает дирижер, чтобы добиться слаженного звучания.

В XIX веке, когда оркестры были еще очень небольшими, роль дирижера брал на себя клавесинист или первый скрипач. В XIX веке в связи с увеличением состава оркестров возникла необходимость в дирижерской палочке.

Работа дирижера

Дирижер руководит оркестром и определяет, как должно звучать произведение.

Дирижеру необходимо точно знать возможности каждого инструмента.

Дирижер должен слышать, что какой-то инструмент фальшивит.

Дирижер следит за тем, чтобы все инструменты вступали вовремя и играли слаженно.

Дирижер контролирует баланс звучания оркестра. Ни один инструмент не должен выделяться, если это не предусмотрено композитором.

Техника дирижирования

Чтобы задавать оркестрантам темп и показывать число метрических долей в такте, дирижер пользуется специальной дирижерской палочкой.

Другой рукой дирижер показывает музыкантам, когда следует вступать, и то, как должна звучать музыка.

Два удара в такте.

Три удара в такте.

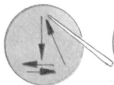

Четыре удара в такте.

Пиано

Форте

Вступление

Выступление перед публикой

Перед выходом на сцену музыканты всегда волнуются. Когда ты начнешь играть и сосредоточишься на исполнении, волнение уляжется. Вот несколько полезных советов.

- Выходи на сцену твердой походкой.

- Играй уверенно, чтобы публика скорее расслабилась и получила удовольствие от музыки.

- Если допустишь ошибку, не возвращайся, чтобы ее исправить.

- Чем лучше ты знаешь произведение, тем увереннее будешь себя чувствовать на сцене.

- Если ты выступаешь с дирижером, следи за его действиями. Нельзя все время смотреть в ноты.

- Если ты выступаешь в ансамбле, слушай соседей, чтобы игра получилась слаженной.

Акустика

Звук меняется в зависимости от объема, конфигурации и акустических характеристик концертного зала.
Звуковые волны, отражаясь от стен и потолка, возвращаются назад в измененном виде. Этот процесс называется реверберацией. Тело человека поглощает звук. В таком же объеме поглощают звук и сиденья в зале. Поэтому акустика в пустом или наполненном зале, по сути дела, одинакова.

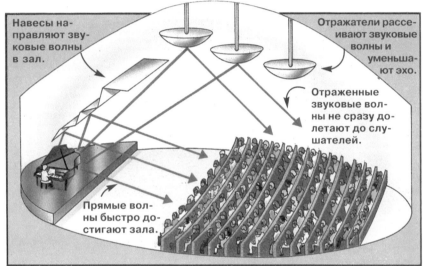

Навесы направляют звуковые волны в зал.

Отражатели рассеивают звуковые волны и уменьшают эхо.

Отраженные звуковые волны не сразу долетают до слушателей.

Прямые волны быстро достигают зала.

Длительность реверберации

Длительностью реверберации называется время, требующееся звуку для полного затухания. При малой длительности музыка звучит безжизненно.

Если длительность реверберации слишком велика, то звуки трудно различать, поскольку они накладываются друг на друга.

Если ты поешь на открытом воздухе, то твой голос кажется сжатым и слабым. Это происходит оттого, что звук не реверберирует, а потому затухает очень быстро.

Звуковые волны отражаются от поверхностей, производя эффект эха.

Длительность реверберации в каменной церкви может достигать семи секунд. В большинстве концертных залов она не превышает одной-двух секунд.

Пение в ванной

Удаляясь от источника звука, волны ослабевают. Энергия волн быстро истощается в движущихся частицах воздуха*. В маленькой комнате звуковые волны отражаются от стен и потолка, не успевая распространиться слишком далеко. Поэтому ты слышишь их все почти одновременно. От этого твой голос звучит громче, чем в большом помещении.

* Подробнее о том, как распространяется звук, см. с. 28.

Воспроизведение звука

Существует три способа звукозаписи: на магнитную ленту, грампластинку и компакт-диск. Кассеты с лентой удобно носить с собой. Ты можешь использовать их в своем плейере. По качеству звучания они не уступают грампластинкам, но быстрее приходят в негодность. Компакт-диски отличаются высоким качеством звука, на них можно записать больше музыки, но стоят они значительно дороже.

Запись на магнитофонную ленту

Сначала музыку записывают на магнитную ленту, а уже потом переносят на грампластинки или компакт-диски.

Электрические сигналы по проводам передаются на магнитофон.

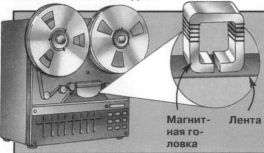

Магнитная головка   Лента

Микрофоны улавливают звуковые колебания в воздухе и преобразуют их в электрический ток различной силы, или напряжения.

Электрические сигналы поступают на магнитную ленту, и головки магнитофонов преобразуют их в магнитные поля разной напряженности.

Звукозаписывающие головки прикасаются к намагниченной поверхности ленты.

Проигрывание кассеты

Головка кассетного проигрывателя преобразует магнитное покрытие ленты в колебания электрического напряжения. Это напряжение усиливается, а затем через динамики превращается в звук.

Проигрывающая сторона магнитной головки.

Звуковая дорожка на стороне «А».

Магнитная лента имеет четыре дорожки. Проигрывающая сторона головки занимает две. Каждая пара дорожек воспроизводит стереофонический звук. Когда ты переворачиваешь кассету, головки считывают запись с двух других дорожек.

Аналоговая запись

При аналоговой системе звукозаписи сигналы от микрофонов сохраняются в виде постоянно изменяющихся колебаний магнитного поля.

Цифровая запись

Цифровые рекордеры измеряют напряжение, поступающее от микрофона, до 50 000 раз в секунду. Они сохраняют каждое измерение в двойной системе, представляя, таким образом, входные и выходные сигналы. Цифровая запись более точная. С ее помощью легче определить разницу между входным и выходным сигналом, чем искать микроскопические изменения в напряжении.

Многоканальная запись

На профессиональных студиях звукозаписи используется аппаратура, имеющая до 32 головок. Каждая головка получает сигналы от одного или более микрофонов и записывает отдельную дорожку. Такой способ называется многоканальным.

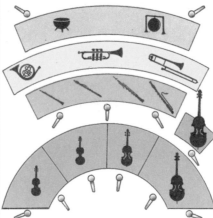

Здесь показано, как могут быть расположены микрофоны в концертном зале для многоканальной записи оркестра.

В студиях дорожки могут записываться поочередно. В этом случае при ошибке на одной из дорожек ее можно записать заново.

Певец может слышать в наушниках предварительно записанную дорожку.

Звукорежиссер и звукоинженер прослушивают каждую дорожку, регулируя тон и громкость. Они также устанавливают баланс звучания. Соединение дорожек производится на микшерном пульте, после чего готовая запись переносится на первый оригинал.

Портативная записывающая студия

Четырехканальный магнитофон (портативная записывающая студия) стоит, как два CD-проигрывателя. На нем удобно воплощать собственные замыслы.

Ударные

Портативная студия

Четыре записывающие головки

Кассетная лента

В портативной звукозаписывающей студии используется обычная магнитная лента. Вместо двух головок, применяемых при записи на стереомагнитофоне, здесь их четыре — по одной на каждую дорожку. Кассету нельзя перевернуть, поскольку все четыре дорожки заняты четырьмя головками.

1-я дорожка: ритм

Портативные клавишные

2-я дорожка: басовые аккорды

3-я дорожка: мелодия

4-я дорожка: вокал

Запись производится поочередно на каждую дорожку. После сведения всех четырех вместе можно сделать копию записи, пользуясь обычным кассетным стереомагнитофоном.

Запись граммпластинки

Мастер (первый оригинал)

Игла проводит дорожку.

Каждая сторона пластинки проштамповывается.

Готовая пластинка

Вибрация иглы на внешней стенке дорожки дает правый стереосигнал.

Вибрация на внутренней стенке дорожки дает левый стереосигнал.

Рисунок магнитного покрытия ленты преобразуется в колебания напряжения. С помощью специальной иглы в круглой алюминиевой пластине, покрытой пластиком, прочерчиваются дорожки. Таким способом создается матрица, с которой делаются виниловые копии.

Во время проигрывания пластинки неровности дорожки заставляют иглу вибрировать. Эта вибрация преобразуется в напряжение, усиливается и передается на динамик.

Стереозвук

На каждый динамик стереосистемы подается различное сочетание звуков. Это создает впечатление, будто музыканты играют в разных концах сцены. Чтобы усилить это впечатление, расположи динамики так, как показано на рисунке.

Динамики должны находиться на уровне твоего уха.

Расположи динамики близко от стены, но не вплотную.

Сядь на равном расстоянии от каждого динамика.

Как устроен компакт-диск

Компакт-диск (CD) сохраняет музыку в цифровом варианте. Диск сделан из алюминия и покрыт прозрачным защитным слоем винила. Алюминиевая поверхность содержит миллионы микроскопических углублений.

Внутри проигрывателя установлен лазерный луч, направленный на поверхность диска. Реагируя на каждое углубление, он передает информацию на проигрыватель, который преобразует ее в двузначные цифры. Цифры определяют размеры звуковых волн, которые и воспроизводят музыку.

Компакт-диск не соприкасается с лазерным лучом, а потому долго не изнашивается. Луч фокусируется только на углублениях в виниловой поверхности диска.

Углубления на поверхности диска

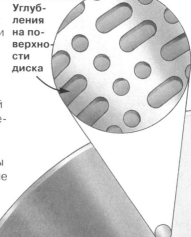

Читаем ноты

Изучив следующие шесть страниц, ты получишь представление о том, как музыка записывается на бумаге. Чтобы вспомнить основы нотной грамоты, прочти еще раз страницы 18—19. Для того чтобы быстро и точно читать ноты или записывать свои сочинения, тебе предстоит многое запомнить и немало тренироваться.

Длительности

Длительность звучания определяется нотными знаками. Все они показаны справа с обозначением длительностей. Названия говорят сами за себя. Например, длительность четвертной ноты (четверти) составляет четвертую часть от целой.

Целая = четырем метрическим ударам.

Половинная = двум четвертным метрическим ударам.

Четвертная = одному метрическому удару.

Восьмая = половине четвертного удара.

Шестнадцатая = четверти четвертного удара.

Метрические удары и такты

Музыкальные ритмы группируются вокруг равномерных метрических ударов, называемых тактами. Каждый такт обычно состоит из одного, двух, трех или четырех метрических ударов. Первый удар, как правило, бывает самым сильным.

Обозначение размера в начале нотного стана показывает, сколько ударов содержится в каждом такте и какова их длительность. Постарайся проговорить музыкальные фразы, приведенные ниже, чтобы услышать и почувствовать ритм.

Верхняя цифра означает, что в каждом такте четыре удара, или доли.

Такты отделяются тактовой чертой.

В конце произведения всегда ставится двойная черта.

4/4 ВСТАНЬ ско-рей на- ДЕНЬ ру-баш- ку.

Нижняя цифра показывает, что каждый удар длится четверть.

3/8 ЯБ- ло-ки, ГрУ-ши,ба- НА-ны и ПЕР-си-ки.

Три восьмых в такте (1/8 целой ноты).

Две половины в такте (1/2 целой ноты).

Длительность двух четвертей равна половине целой ноты.

2/2 ПОЙ о-чень ГРО -мко, ста-РАЙ-ся как МО-жешь.

Продленные ноты

Точка, поставленная после ноты, означает продление на половину ее длительности. Ниже показано, насколько точка удлиняет звучание каждой ноты.

Точка после целой: 4 + 2 = 6 четвертных ударов.

Точка после половины: 2+1 = 3 четвертных удара.

Точка после четверти: 1+ +1/2 = 3 восьмых удара.

Точка после восьмой: 1+1/2 = 3 шестнадцатых удара.

Простой размер

Размер, в котором каждая доля представляет собой восьмую, четверть или половину, называется простым. Ниже приведены наиболее часто используемые обозначения простого размера.

Такты разбиты на половины.	Такты разбиты на четверти.	Такты разбиты на восьмые.
2 3 4 / 2 2 2	2 3 4 / 4 4 4	2 3 4 / 8 8 8

Сложный размер

В сложных размерах такт разбивается на доли, удлиненные посредством точек. Из них наиболее часто встречается размер 6/8. В каждом такте содержится две сильные доли. Такт делится на две части, каждая из которых равна четверти с точкой (или трем восьмым).

СОЛ-ныш-ко СВЕ-тит. ПТИ-цы по-ЮТ.

6/8

Вот еще примеры обозначения сложного размера:

6/4

В этом такте две сильные доли, каждая часть такта равна половине с точкой (или трем четвертям).

9/8

В этом такте три сильные доли, каждая часть такта равна четверти с точкой (или трем шестнадцатым).

Пауза

Перерыв в звучании одного или нескольких музыкальных голосов называется паузой. Длительность пауз на нотном стане обозначают особыми знаками.

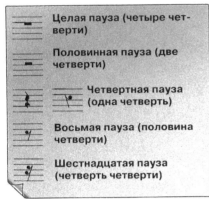

	Целая пауза (четыре четверти)
	Половинная пауза (две четверти)
	Четвертная пауза (одна четверть)
	Восьмая пауза (половина четверти)
	Шестнадцатая пауза (четверть четверти)

В каждом такте должно быть соответствующее размеру число долей, даже если некоторые из них — паузы. Вот два примера:

Ноты и паузы в этом такте в сумме равны четырем долям.   **Четвертная пауза длится одну долю.**

Ноты и паузы в этом такте составляют вместе три доли.

Как проще читать ноты

Группы восьмых, шестнадцатых и менее коротких нот обычно соединены сверху или снизу сплошной линией. В таком виде их гораздо легче читать.

В простом размере ноты соединяются для того, чтобы подчеркнуть значение четвертной доли.

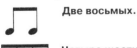 **Две восьмых.**

 Четыре шестнадцатых.

 Две шестнадцатых и одна восьмая.

 Восьмая с точкой и шестнадцатая.

В простом размере один знак обозначает одну паузу.

Две четвертные паузы

Половинная пауза

В сложном размере можно использовать знак паузы с точкой или два знака на каждую долю паузы.

или

Перерыв в звучании на протяжении всего такта обозначается полной паузой независимо от размера.

В сложном размере одной доле соответствует одна длительность с точкой. Восьмые и шестнадцатые соединяются, чтобы подчеркнуть значимость длительности с точкой. Посмотри, как длительности группируются в размере 6/8.

Три восьмых.

Восьмая с точкой, шестнадцатая и восьмая.

Две шестнадцатых и две восьмых.

Залигованные ноты

Можно удлинить звучание ноты, присоединив ее к другой выгнутой линией — лигой. В этом случае нота звучит в течение двух длительностей.

 Целая, соединенная с половиной, звучит шесть долей.

Залигованные ноты может разделять тактовая черта:

 Две связанные четверти длятся две доли.

Триоли

Композитор может сделать так, что на одну долю будут приходиться три ноты. Обозначения для третьей ноты в составе доли не существует. Вместо этого, как показано на рисунке, используются три соединенные линией ноты. Их общая длительность соответствует одной четверти. Подобная группировка нот называется триолью.

 Триоль

Затакт

Не каждый ритмический рисунок начинается с первой доли в такте. При неполном такте в начале музыкального отрывка отсутствующий метрический удар восполняется в конце. Вот два примера затакта:

Пой-ДУ по-гу- ЛЯ- ю в ЛЕС.

Одна доля в начале.   **Две доли в конце.**

Ни-ког- да не на-до лгать.

Два метрических удара в начале.   **Два метрических удара в конце.**

Мажорные гаммы

Последовательность тонов и полутонов во всех мажорных гаммах одинакова (см.с.19).

T — тон   S — полутон

Чтобы выдерживать эту последовательность, в каждой мажорной гамме, кроме до-мажорной, используются чёрные клавиши. Чёрная клавиша, расположенная справа от белой, называется диезом. В гамме ре мажор два диеза:

Знак диеза. Он показывает, что эта нота должна играться на полтона выше.

Чёрная клавиша расположенная слева от белой, называется бемолем. В гамме фа мажор один бемоль.

Знак бемоля. Он показывает, что эта нота должна играться на полтона ниже.

Минорные гаммы

Существует два вида минорных гамм: гармонические и мелодические. Гармонический минор содержит три полутона, поэтому петь эту гамму довольно трудно. Мелодический минор исключает полутон между шестой и седьмой ступенями.

T — тон   S — полутон
T $1/2$ = полтора полутона

Гармоническая гамма ля минор:

Мелодический минор строится по тому же образцу, что и гармонический, но при восходящем движении шестая нота гаммы повышается на полтона. Мелодический минор отличается от гармонического и при нисходящем движении (см. рисунок):

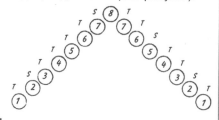

Ниже мелодическая гамма ля минор показана на клавиатуре и нотном стане.

Знак бекара

Знак бекара означает отказ от диеза или бемоля. В этом случае на клавиатуре происходит возвращение от чёрной клавиши к белой.

Сравнительная схема

Три последние ноты мажорной гаммы строятся так же, как первые три минорной. Например, последние три ноты гаммы до мажор имеют тот же порядок интервалов, что и первые ноты гаммы ля минор. Тональность ля минор считается параллельной тональности до мажор.

До мажор

Гармонический ля минор

Тональности и их обозначения

Соль мажор   Фа мажор   Ре мажор

Диезы или бемоли, стоящие в начале нотного стана, показывают, что данный музыкальный отрывок написан в тональности, содержащей эти знаки. В подобном случае они называются знаками альтерации в ключе.

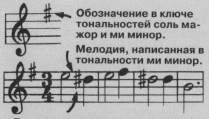

Обозначение в ключе тональностей соль мажор и ми минор.

Мелодия, написанная в тональности ми минор.

Повышение на полтона седьмой ступени (ре-диез).

При ключе в минорной гамме ставятся те же знаки, что и в параллельной мажорной. Седьмая ступень минорной гаммы требует обозначения диеза перед нотой каждый раз, когда она встречается в тексте.

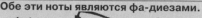

Обе эти ноты являются фа-диезами.

Эти ноты — фа-бекары.
Эти ноты — фа-диезы.

Эти две ноты — фа-бекары

Знаки альтерации в ключе действуют на протяжении всего музыкального отрывка. Все остальные бекары, диезы и бемоли называются случайными знаками. Каждый из них действует только до конца такта, в котором он появился.

Названия нот в гамме

Каждая нота гаммы имеет свое название, определяющее ее положение в звукоряде. Этими же названиями обозначаются и построенные на ней аккорды. Названия могут также использоваться для того, чтобы подчеркнуть изменения тональности внутри произведения. Например, соната может начинаться в тональности до мажор, обозначенной в ключе. Но затем переходит (модулирует) в другую тональность, например в соль мажор.

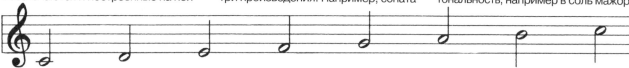

| Тоника (нота, по которой гамма получает название). | II ступень (нисходящий верхний вводный тон) — нота, расположенная непосредственно над тоникой). | Медианта (ступень, расположенная посредине между тоникой и доминантой). | Субдоминанта (ступень, расположенная на столько же ниже тоники, на сколько доминанта выше ее). | Доминанта (самая важная ступень после тоники). | Субмедианта (нижняя медианта, расположенная посредине между верхней тоникой и субдоминантой). | Вводный тон (он звучит так, как будто за ним тут же последует тоника). | Тоника (расположена на октаву выше нижней). |

Интервалы и гармонии

Гармония рождается из сочетания аккордов. Интервалы между составляющими аккорды нотами придают им специфическое звучание. Ниже приводятся названия некоторых интервалов, которые указывают на расстояние между нотами по высоте. Чтобы определить название интервала, просчитай по линейкам расстояние между нотами, включая те, на которых эти ноты находятся.

| Большая секунда (два полутона) | Большая терция (четыре полутона) | Чистая кварта (пять полутонов) | Чистая квинта (семь полутонов) | Большая секста (девять полутонов) | Большая септима (одиннадцать полутонов) | Октава (двенадцать полутонов) |

Эти интервалы отличаются простым, чистым звучанием. Поэтому и называются чистыми.

| Малая терция | Малая септима | Уменьшенная кварта | Увеличенная секста | Увеличенная квинта |

Если большой интервал уменьшается на один полутон, он называется малым. Если малый интервал уменьшается на один полутон, его называют уменьшенным. Большой, или чистый интервал, расширенный на полтона, называется увеличенным.

Названия интервалов

Применительно к интервалам термин «минорный» означает «уменьшенный». Минорный интервал на один полутон меньше мажорного. Но это не означает, что минорная гамма состоит только из одних минорных интервалов.
Некоторые интервалы имеют двойное название. Например, чистая кварта по числу полутонов равноценна увеличенной терции. Название зависит от расстояния между нотами на нотном стане, которые он разделяет.

Построение аккордов

Простейший аккорд из трех нот называется тоническим трезвучием. Он состоит из нот первой, третьей и пятой ступеней гаммы. Этот аккорд отличается устойчивостью и придает финальное звучание концу произведения.

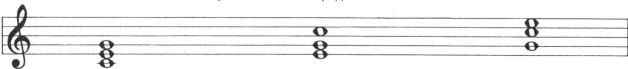

Первая, третья и пятая ступени гаммы — это основное трезвучие.

Третья, пятая и первая ступени гаммы — это секстаккорд (первое обращение).

Пятая, первая и третья ступени гаммы — это квартсекстаккорд (второе обращение).

Последовательность и разрешение аккордов

Смена одних аккордов другими называется последовательностью аккордов, или гармонической последовательностью. Почти вся западноевропейская гармония основана на гармонических последовательностях. Этот принцип берет свое начало в полифонии XVII века (см. с. 20—21).
Аккорд, состоящий из слаженно и красиво звучащих друг с другом нот, называется консонансом. Аккорд,

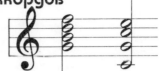

Разрешение диссонирующего аккорда консонансом

включающий в себя не сочетающиеся с друг с другом звуки, называется диссонансом.
Диссонанс звучит неприятно, поэтому последовательность аккордов обычно завершается консонансом. Этот процесс называется разрешением аккордов.

Построение трезвучий

Трезвучие можно построить на любой из нот гаммы. Ниже показано, как они строятся на каждой ноте гаммы до мажор. Эти ноты помечены римскими цифрами

для того, чтобы показать, на какой ступени гаммы построены трезвучия. Например, аккорд «V» в до мажоре построен на пятой ноте гаммы.

В основе мажорного трезвучия лежат большая терция и чистая квинта, построенные на самой нижней ноте.

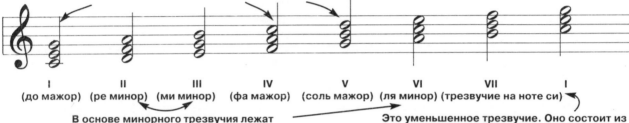

I	II	III	IV	V	VI	VII	I
(до мажор)	(ре минор)	(ми минор)	(фа мажор)	(соль мажор)	(ля минор)	(трезвучие на ноте си)	

В основе минорного трезвучия лежат малая терция и чистая квинта, построенные на самой нижней ноте.

Это уменьшенное трезвучие. Оно состоит из малой терции и уменьшенной квинты (увеличенное трезвучие строится из большой терции и увеличенной квинты).

Названия под рисунком говорят о том, что это за аккорды. Некоторые из приведенных аккордов звучат ярко и весело. Другие звучат грустно и тоскливо. К бодрым и веселым относятся мажорные тонические

трезвучия. Они построены на нотах первой, четвертой и пятой ступеней гаммы. И, соответственно, называются тоническим, субдоминантовым и доминантовым. Тоскливо звучат минорные тонические трезвучия.

Фокус трех аккордов

С помощью трех тонических трезвучий можно гармонизовать мелодию в любой мажорной гамме. Это называется фокусом трех аккордов. Ты можешь гармонизовать мелодию в до мажоре, используя эти аккорды:

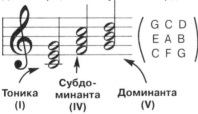

$$\left(\begin{matrix} G & C & D \\ E & A & B \\ C & F & G \end{matrix}\right)$$

Тоника (I)   Субдоминанта (IV)   Доминанта (V)

Между этими аккордами заключены все ноты гаммы. Для того чтобы построить простейшую гармонию, тебе нужно подобрать аккорды к мелодии. Некоторые ноты встречаются в нескольких аккордах. Тебе следует выбрать, какое сочетание звучит лучше.

В доминантовое трезвучие часто добавляют ноту из малой септимы, что придает звучанию дополнительный оттенок. Этот аккорд называется доминантсептаккордом.

Доминантовое трезвучие в до мажоре — это соль-мажорное трезвучие. А вот как к нему добавляется нота малой септимы.

Используя приведенные сочетания аккордов, ты сможешь гармонизовать много мелодий в приведенных ниже тональностях.

Обозначение доминантсептаккорда:

	I	IV	V⁷
Соль мажор	G	C	D⁷
Фа мажор	F	B♭	C⁷
Ре мажор	D	G	A⁷

Играем аккомпанемент

Держи на клавиатуре этот аккорд, пока в нотах не появится новый.

В ле-су ро-ди-лась е-лоч-ка Ⓒ Ⓖ Ⓒ
В ле-су о-на рос-ла Ⓒ Ⓕ Ⓒ
Зи-мой и ле-том строй-на-я Ⓕ Ⓕ Ⓒ
Зе-ле-на-я бы-ла Ⓒ Ⓖ Ⓒ

Тебе не надо брать разные аккорды к каждой ноте мелодии.
Ты услышишь по звучанию, когда надо сменить аккорд.

Музыкальные советы

Большинство композиторов делают в нотах специальные пометки, из которых понятно, как играть произведение, чтобы полностью воплотить авторский замысел. Некоторые из подобных наставлений и советов приведены ниже.

Большая часть примечаний пишется на итальянском языке. Это объясняется тем, что первые ноты были напечатаны именно в Италии. С тех пор почти все композиторы оставляют пожелания исполнителям на итальянском языке.

Штрихи

Ниже приводятся некоторые условные обозначения, которые могут помочь тебе при исполнении тех или иных произведений.

Staccato. Играй ноты четко, остро, отделяя одну от другой.

Legato. Играй очень плавно, так, чтобы одна нота как бы переходила в другую.

Акцент. Выдели эту ноту.

Fermata. Задержись на этой ноте прежде, чем сыграть другую.

Crescendo. Постепенно наращивай громкость.

Знак повтора. Повтори отрывок еще раз.

Diminuendo. Постепенно уменьшай громкость.

Повтори отрывок, заключенный между двумя этими знаками.

Обозначения темпов

Обозначения темпов проставляются либо в начале произведения, либо при смене темпа.

A tempo — вернуться к первоначальному темпу.
Accelerando — постепенное ускорение.
Adagio — медленно.
Affrettando — быстро.
Allegretto — довольно быстро.
Allegro — оживленно и быстро.
Andante — спокойно, как бы прогуливаясь.
Andantino — спокойно, но чуть быстрее, чем andante.
Grave — очень медленно.
Largetto — почти так же медленно, как largo.
Largo — медленно и значительно.
Lento — медленно.
Meno mosso — менее подвижно.
Moderato — умеренно.
Piu mosso — более подвижно.
Prestissimo — предельно быстро.
Presto — быстро.
Rallentando (rall.) — постепенно замедляя.
Ritardando (ritard.) — постепенно замедляя.
Retenuto — сдержаннее, умереннее, медленнее.
Tempo primo — возвратиться к первоначальному темпу.
Vivace — оживленно и быстро.

Настроение и стиль

Agitato — взволнованно.
Animato — с воодушевлением.
Appassionato — со страстью.
Brillante — блестяще.
Cantabile — певуче.
Con bravura — бравурно.
Con brio — живо.
Con forza — энергично.
Con fuoco — зажигательно.
Con moto — живо.
Dolce — нежно.
Espressivo — с экспрессией.
Giocoso — весело.
Grandioso — величественно.
Gracioso — грациозно.
Lacrimoso — печально.
Legato — связно, легато.
Legatissimo — максимально связно.
Leggiero — легко.
Maestoso — величественно.
Marcato — подчеркнуто.
Perdendosi — замирая.
Pesante — грузно, тяжело.
Risoluto — решительно.
Scherzando — игриво.
Sostenuto — очень сдержанно.
Spiritoso — воодушевленно.
Staccato — отрывисто, стаккато.
Strepitoso — громко.
Vivace — оживленно и быстро.

Громкость

Эти обозначения могут быть даны в скобках.

Crescendo (cresc) — постепенно наращивая громкость.
Decrescendo (decresc) — постепенно затихая.
Diminuendo (dim) — постепенно уменьшая громкость.
Forte (f) — громко.
Fortissimo (ff) — очень громко.
Mezzo forte (mf) — умеренно громко.
Mezzo piano (mp) — умеренно тихо.
Pianissimo (pp) — очень тихо.
Piano (p) — тихо.

Еще несколько итальянских терминов

Da capo (D.C.) — повторить с начала.
D.C. al Fine — повторить с начала до слова «Fine».
Glissando — проскользить пальцем или ногтем по белым клавишам.
Meno — менее.
Molto — очень.
Piu — более.
Poco a poco — постепенно.
Sempre — постоянно.
Senza — без.
Subito — неожиданно.

Семейства инструментов

Все инструменты относятся либо к акустическим, либо к электрическим. В акустических инструментах звук образуется и усиливается благодаря корпусу. Электрическим инструментам необходима постоянная подача электроэнергии. Только при этом условии они могут звучать.
В составе этих двух групп инструменты распределяются по семействам в зависимости от способов извлечения звука. Акустические инструменты разделяются на семейства струнных, де-

ревянных духовых, медных духовых, клавишных и ударных. Неакустические инструменты бывают либо электрическими, либо электронными. Следующие две страницы посвящены различным семействам инструментов обеих групп. Большинство приведенных здесь инструментов относятся к оркестровым и джазовым. Кроме того, представлены некоторые популярные народные инструменты разных стран мира.

Деревянные духовые инструменты

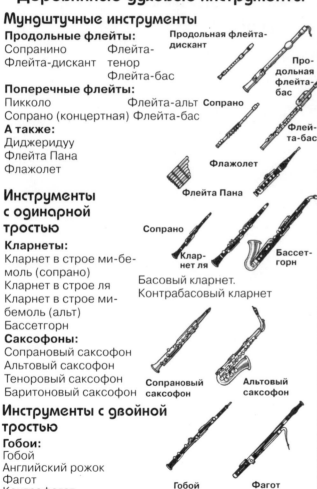

Мундштучные инструменты
Продольные флейты:
Сопранино   Флейта-
Флейта-дискант   тенор
     Флейта-бас

Продольная флейта-дискант

Продольная флейта-бас

Поперечные флейты:
Пикколо   Флейта-альт   **Сопрано**
Сопрано (концертная) Флейта-бас

А также:
Диджериду
Флейта Пана
Флажолет

Флей-та-бас

Флажолет

Флейта Пана

Инструменты с одинарной тростью

Сопрано

Кларнеты:
Кларнет в строе ми-бемоль (сопрано)
Кларнет в строе ля
Кларнет в строе ми-бемоль (альт)
Бассетгорн

Клар-нет ля

Бассет-горн

Басовый кларнет.
Контрабасовый кларнет

Саксофоны:
Сопрановый саксофон
Альтовый саксофон
Теноровый саксофон
Баритоновый саксофон

Сопрановый саксофон

Альтовый саксофон

Инструменты с двойной тростью

Гобои:
Гобой
Английский рожок
Фагот
Контрафагот

Гобой

Фагот

Инструменты со свободной тростью

При игре на этих инструментах тебе не нужно брать губами трость. Вместо этого надо вдувать воздух чуть ниже или прямо в канал инструмента, где свободно вибрируют одна или две трости

Волынки
Концертино
Аккордеон
Губная гармоника

Аккордеон

Губная гармоника

Медные духовые инструменты

Звучание медного духового инструмента зависит от формы раструба — канала, по которому проходит воздух. Диаметр цилиндрического канала остается одинаковым на всем протяжении, лишь в конце расширяясь в форме колокола. Конические каналы расширяются постепенно.

Инструменты с цилиндрическим каналом

Цилиндрический канал создает звуковую волну со множеством обертонов, придающих тембру чистоту и яркость.

Трубы:
Труба в натуральном строе (без вентиля)
Стандартная труба в строе си-бемоль
Малая (piccolo) труба

Обычная труба   Малая труба

Тромбоны:
Теноровый тромбон
Бас-тромбон

Теноровый/басовый тромбон

Инструменты с коническим каналом

Конический канал уменьшает количество обертонов, создавая объемное звучание и менее яркий тон.

Французская валторна
Сигнальный рожок
Корнет в строе си-бемоль
Флюгельгорн в строе си-бемоль

Саксгорны:
Теноргорн в строе ми-бемоль
Баритон в строе си-бемоль
Вагнеровская туба в строе си-бемоль (или эуфониум)
Бас-туба в строе ми-бемоль

Французская валторна   Сигнальный рожок   Корнет

Теноргорн си-бемоль   Эуфониум   Туба ми-бемоль

Струнные инструменты

Чтобы извлечь звук из струнного инструмента, нужно заставить вибрировать его струны (см.с.30).

Скрипки:
Скрипка
Альт
Виолончель
Контрабас

Виолы:
Виола д'амур
Виола да гамба

Арфы и цитры:
Кото
Цитра
Арфа

Гитары и лютни:
Акустическая гитара
Лютня
Балалайка
Мандолина
Банджо
Ситар
Вина
Укулеле (4-струнная гавайская гитара)

Виола   Виолончель
Виола да гамба
Кото   Арфа
Балалайка
Банджо   Укулеле

Клавишные инструменты

Клавишные инструменты делятся на звучащие благодаря вибрации струн и те, которые звучат за счет колебаний воздушного столба.

Струнные клавишные инструменты:
Клавикорд
Клавесин
Фортепиано
Рояль

Клавикорд

Духовые клавишные инструменты:
Орган
Фисгармония

Фисгармония

Ударные инструменты

Ударные инструменты делятся на две группы: с определенной (воспроизводят ноты) и неопределенной (воспроизводят шумы) высотой звучания. См с. 30.

Инструменты с неопределенной высотой звучания

Барабаны:
Том-том
Цилиндрический барабан
Большой барабан
Бонго
Конга
Малые барабаны

Самозвучащие:
Клавесы
Кастаньеты
Кнут (бич)

Трещотки:
Маракасы
Погремушки

Тарелки:
Простые тарелки
Маленькие тарелки
Педальные тарелки

А также:
Гонг, или там-там
Тамбурин
Треугольник
Ветряная машина (элиофон)
Гуиро

Бонго   Конга
Малые барабаны
Кастаньеты   Кнут (бич)
Деревянные коробочки   Деревянные коробочки
Погремушка
Античные тарелки   Простые тарелки
Античные тарелки
Гонг   Гуиро
Ветряная машина

Инструменты с определенной высотой звучания

Ксилофоны:
Ксилофон
Маримба

Металлофоны:
Вибрафон
Колокольчики
Челеста

Колокола:
Трубчатые колокола
Звонницы
Альпийские колокольчики

А также:
Литавры
Барабаны из бензиновых бочек

Ксилофон   Маримба
Вибрафон   Колокольчики
Звонница
Трубчатые колокола
Литавры

Электрические инструменты

Звук электрического инструмента усиливается с помощью электричества, а не резонанса корпуса инструмента.

Электрогитара
Бас-гитара
Электроорган
Электрическая скрипка

Электрическая скрипка

Электронные инструменты

Инструменты, принадлежащие к этому семейству, создают звук исключительно электронным способом, без помощи акустики (см. с. 29).

Клавишный синтезатор
Ударный синтезатор
Электронный инструмент Мартено

Электронный инструмент Мартено

Учимся играть

Уроки музыки направлены на то, чтобы обучить ученика или студента играть на инструменте и читать ноты произведений, в основном классических. Но это не помогает учащемуся овладеть искусством импровизации или сочинения музыки. Возможно, это не имеет значения для исполнителя классики, однако для джазового музыканта уметь импровизировать просто необходимо. Вероятно, именно поэтому некоторые педагоги классической музыки с симпатией и пониманием относятся к другим музыкальным стилям. А потому вполне могут помочь тебе освоить и их.

Как найти педагога

Возможно, в ближайшем нотном магазине знают немало хороших учителей музыки. Или там висят объявления с предложением услуг. Наверняка этих учителей знают

Уроки БАС-ГИТАРЫ от ЭКС-ГИТАРИСТА ГРУППЫ LIZARDS, ТЕЛ: 7276647

ПЕТР БЕЛЯЕВ ГОБОИСТ. ОБУЧЕНИЕ НАЧИНАЮЩИХ. ТЕЛ: 7377856

СОНЯ СОМОВА. УРОКИ ФЛЕЙТЫ.

УЧУ ИГРЕ НА ГИТАРЕ. АЛЕКСАНДР. ТЕЛ: 8841132

преподаватели музыки твоей школы, поэтому навести справки ты можешь у них. Поговори, если есть такая возможность, с кем-либо из учеников этих педагогов. Поинтересуйся методами их обучения. Некоторые учителя, особенно те,

большие успехи
Вдохновение
твои интересы
любителям классики
старомодно
зачем играть?
интересно ли это?

кто владеет редкими инструментами, часто являются профессиональными оркестрантами, дающими в свободное время частные уроки.

Приобретаем инструмент

Может быть, тебе удастся взять на время инструмент в школе. Особенно, если в школе есть джаз-бэнд или оркестр, которым нужны исполнители. Духовые оркестры часто дают начинающим музыкантам инструменты напрокат.

Как правило, инструменты стоят дорого, а потому не каждый может себе позволить их купить. На следующей странице помещена таблица качества и стоимости наиболее популярных инструментов, которая поможет тебе сделать правильный выбор.

Покупаем новый инструмент

Чтобы облегчить будущим музыкантом покупку нового инструмента, многие специализированные магазины сегодня продают инструменты в рассрочку. В этом случае покупатель ежемесячно вносит определенную сумму в счет стоимости инструмента. По прошествии нескольких месяцев, если ты решишь купить инструмент, внесенная сумма будет вычтена из его стоимости.

Как правило, чем дороже инструмент, тем он лучше. Причем большинство из них служат долго. Это даст тебе возможность при необходимости выгодно продать инструмент. Но учти, что электрические инструменты быстро падают в цене.

Покупаем подержанный инструмент

Прежде чем купить подержанный инструмент, попроси кого-нибудь из знатоков хорошенько его проверить. За некоторую плату это, возможно, сделает кто-то из учителей музыки или работник музыкального магазина. Подержанные инструменты часто продают и сами музыкальные магазины, где тебе должны дать попробовать инструмент.
Если магазин не захочет предоставить гарантию, то надо быть осторожнее. Можно найти инструмент по рекламным объявлениям в местных газетах. Но в этом случае на гарантию рассчитывать вообще не приходится.

Необходимо (при покупке нового или подержанного инструмента):
1. Получить гарантию.
2. Проверить инструмент.
3. Застраховать его.

Выбираем инструмент

Если ты хочешь серьезно изучить какой-то инструмент, то некоторые из приведенных советов, а также таблица на следующей странице, помогут сделать правильный выбор.
*Задай себе вопрос: хочешь ли ты выступать с ансамблем или играть как солист на гитаре или, скажем, на рояле? Кстати, на таких инструментах, как флейта или скрипка, можно играть как соло, так и в музыкальном коллективе.

*Если ты предпочитаешь ансамблевую игру и хочешь купить соответствующий инструмент, то сначала найди оркестр, в котором бы ты хотел играть, и выясни, нужны ли им исполнители и какие.
*Ты можешь посещать групповые занятия по обучению игре на том или ином инструменте. Это обойдется дешевле частных уроков. К тому же, обучаясь игре, к примеру, на медном духовом инструменте, ты можешь параллельно играть и в оркестре.

*Как правило, чем сложнее выглядит инструмент, тем легче на нем взять ноту без фальши . Например, точно брать нужные ноты на саксофоне значительно легче, чем на скрипке, так как в первом случае помогает механизм инструмента.
*Читать музыкальный текст гораздо легче, играя на инструменте, который одновременно может взять только одну ноту, чем, например, на рояле или арфе.

Выбираем инструмент: таблица

ЦЕНА	ВОЗМОЖНОСТИ	ТРУДНОСТИ ОСВОЕНИЯ
Флейта Умеренная	Для флейты написано много произведений соло и для исполнения с оркестром, а также фольклорной музыки.	Если ты не левша, обучиться игре на флейте будет несложно. Слишком полные или тонкие губы и большие передние зубы могут создать трудности при вдувании воздуха.
Кларнет Умеренная	Кларнеты совершенно необходимы в оркестрах и джаз-бэндах. Для них часто пишутся и сольные партии.	Техника вдувания воздуха в кларнет легче, чем в случае с флейтой, поэтому ты можешь быстро достичь успеха. Большие передние зубы, мешающие при игре на флейте, очень полезны для кларнетиста.
Гобой Очень выокая	Гобой — оркестровый инструмент с большим количеством сольных партий.	Научиться играть на гобое трудно. Хорошо, если у тебя тонкие губы: их можно легко вытянуть, чтобы сжать трость инструмента.
Саксофон Высокая	Саксофон необходим в джаз-бэндах и танцевальных оркестрах. В XX веке для него написано немало классических произведений.	Научиться играть на саксофоне легче, чем на флейте или кларнете. Если ты не очень интересуешься классической музыкой, то советую выбрать именно этот инструмент.
Продольная флейта Очень низкая	Ты сможешь играть любую одноголосную вещь. Для продольных флейт написано также немало ансамблей.	Технология обучения не представляет особых сложностей, хотя поначалу может обескуражить: инструмент требует немалого мастерства.
Корнет Довольно высокая	Это ведущий инструмент духового оркестра. Наряду с трубой иногда используется и в симфоническом оркестре.	Корнет очень легок в обращении, вдувать в него воздух не составляет особого труда. Именно с него стоит начинать обучение игре на медном духовом инструменте.
Труба Умеренная	Трубы присутствуют в оркестрах танцевальной музыки и джаз-бэндах. Используются они и в симфонических оркестрах.	Вдувать воздух в трубу труднее, чем в корнет. Но звук ее ярче и громче. Для игры на трубе надо обладать определенной смелостью, так как затушевать ошибку просто невозможно.
Теноргорн и баритон Высокая	Это медные инструменты, используемые в духовых оркестрах и особенно почитаемые любителями оркестровой музыки.	По сравнению с другими духовыми при игре на этих инструментах затрачивается меньше энергии. Музыка, написанная для них, не отличается особой трудностью.
Тромбон Умеренная	Необходим в симфонических и духовых оркестрах, в некоторых камерных ансамблях, а также джаз-бэндах.	Нужно очень хорошо чувствовать тональность, чтобы точно найти ноту. В отличие от корнета или трубы для игры на тромбоне предпочтительно иметь пухлые губы.
Эуфониум Высокая	В духовом оркестре эуфониум является вторым по важности инструментом.	Игра на эуфониуме требует объемного дыхания, поэтому музыканту желательно быть крупного телосложения.
Туба Очень высокая	Это инструмент для симфонического и духового оркестров, которому поручаются самые низкие партии.	Несмотря на большой размер, этот инструмент не требует вдувания такого количество воздуха, как труба. Написанная для него музыка не сложна для исполнения и редко бывает быстрой.
Валторна Очень высокая	Оркестровый и солирующий инструмент; ведущий в медной группе симфонического оркестра.	Научиться играть на валторне гораздо труднее, чем на любом другом духовом инструменте, поэтому мы не стали бы советовать начинать обучение с нее.
Скрипка Умеренная	Для этого оркестрового и солирующего инструмента написано много классической музыки; можно играть и народные мелодии.	Извлекать звуки из скрипки нелегко. Может потребоваться год или два для того, чтобы научиться играть на этом инструменте какую-нибудь мелодию.
Альт Умеренная	Для альта написано много оркестровой и камерной музыки. В XX веке создавались произведения и для альта соло.	Произведения для альта легче, чем для скрипки. Однако для игры на нем хорошо бы иметь длинные руки и пальцы — альт больше скрипки.
Виолончель Высокая	Для виолончели написано огромное количество оркестровой и сольной музыки.	Учиться играть легче на виолончели, чем на скрипке. Но в дальнейшем игра на этом инструменте потребует такого же искусства.
Контрабас Очень высокая	Этот оркестровый инструмент используется также в джаз-бэндах и оркестрах, играющих танцевальную музыку.	Исполнение сочинений для контрабаса не представляет особой сложности. Солирует контрабас в джаз-бэндах. Для игры на нем нужны сильные и длинные руки.
Классическая гитара Низкая	Классическая гитара не входит в состав музыкальных групп, но сольный репертуар для нее огромен.	Играть на классической гитаре нелегко. Твоим пальцам надо привыкнуть к разнообразным, быстрым и очень точным движениям.
Электрогитара и бас-гитара Умеренная	Электрогитары используются в рок-группах. Бас-гитара — в эстрадных и танцевальных оркестрах.	Освоить аккордную технику электрогитары и научиться щипать ее струны не очень трудно. А играть на бас-гитаре и вовсе легко: за один раз на ней можно взять только одну ноту.
Барабаны Высокая	Барабанщик, или ударник, может играть в симфонических оркестрах, рок- и джаз-группах.	Обучение игре на барабане требует нескольких лет. Для этого тебе нужно обладать совершенным чувством ритма. Чтобы развивать его, полезно маршировать под барабанный бой.
Фортепиано Очень высокая	Для фортепиано написано очень много разной музыки. Техника игры на нем позволит тебе играть и на других клавишных.	Читать и играть сразу несколько нот очень нелегко. Но ты можешь продлить звучание одной ноты, нажав на клавишу или педаль, и дождаться, пока кто-то еще начнет играть мелодию или гармонию.

Композиторы

Из помещенной на следующих четырех страницах таблицы ты сможешь немного узнать о некоторых композиторах и написанной ими музыке. Конечно, всех когда-либо живших и творивших композиторов мы не смогли перечислить. Здесь рассказывается только о тех, кто упомянут в этой книге.

Машо Гильом де (ок. 1300—1377), Франция	По его произведениям можно проследить развитие музыкального искусства в XIV веке значительно большее по сравнению с предыдущей эпохой, разнообразие ритмов и мелодий, возросшую самостоятельность и развитие партий в многоголосных произведениях.	**Корелли Арканджело** (1653—1713), Италия	Писал виртуозную музыку для скрипки, которая к тому времени уже стала вытеснять виолу как главный струнный инструмент. Разработал новую форму — concerto grosso, оказавшую большое влияние на других композиторов того времени.
Данстейбл Джон (ок. 1390—1453), Англия	Писал в основном церковную музыку. Его орнаментальный стиль оказал большое влияние на творчество французских композиторов того времени.	**Пёрселл Генри** (1659—1695), Англия	Сочинял духовную и церемониальную музыку, песни, произведения для клавишных инструментов по заказу королевской семьи. Написал ставшую знаменитой оперу «Дидона и Эней».
Жоскен Депре (ок. 1440—1521), Нидерланды	Выдающийся церковный композитор. Сочинял как духовную, так и светскую музыку.	**Куперен Франсуа** (1668—1733), Франция	Великолепно играл на органе и клавесине. Написал немало очень привлекательных произведений для этих инструментов. В частности — несколько сюит для клавесина.
Палестрина Джованни да (ок. 1525—1594), Италия	Композитор назвал себя в честь родного города Палестрины. Прославился как автор многоголосных хоровых произведений для исполнения a capella.	**Вивальди Антонио** (ок. 1678—1741), Италия	Написал около 400 concerto grosso, почти 40 опер и очень много духовной музыки.
Бёрд Уильям (ок.1543—1623), Англия	Известный органист и композитор эпохи королевы Елизаветы. По заказам королевской семьи писал музыку для церкви, а также песни и произведения для клавишных инструментов и виол.	**Телеман Георг Филипп** (1681—1767), Германия	Огромное по объему музыкальное наследие Телемана считали при жизни композитора более современным, чем все написанное Бахом, и оценивалось выше.
Свелинк Ян Питерзон (1562—1621), Нидерланды	Приобрел известность благодаря своим сочинениям для органа и клавесина, из которых впоследствии многое позаимствовал Бах.	**Бах Иоганн Себастьян** (1685—1750), Германия	Великий мастер полифонии эпохи барокко. Он писал для органа, клавикорда, скрипки и виолончели. Был автором оркестровых сюит и концертов. Сочинял много хоровой музыки. Настоящими шедеврами стали его «Месса си-минор» и «Страсти по Матфею».
Дауленд Джон (1562—1626), Англия	Сочинил более 800 произведений для лютни. Кроме того, писал музыку для виолы по заказам королевской семьи.	**Гендель Георг Фридрих** (1685—1759), Германия, Англия	Был выдающимся клавесинистом и органистом. Ясные и понятные темы его произведений восхищали таких великих композиторов, как Бетховен и Моцарт. Оставил большое музыкальное наследие.
Монтеверди Клаудио (1567—1643), Италия	Первый великий оперный композитор. Писал в новом гармоническом стиле, который сочетал выразительность речитатива, напевность арий, широту ансамблевых форм и богатство оркестрового сопровождения.	**Скарлатти Доменико** (1685—1757), Италия	Самые известные сочинения Скарлатти — это 555 сонат для клавесина.
Гиббонс Орландо (1583—1625), Англия	Виртуозно владел клавишными инструментами. Сочинял музыку для вёрдженела (разновидность клавесина) и для виолы. Автор большого числа мадригалов, мотетов и церковных хоралов.	**Гайдн Франц Йозеф** (1732—1809), Австрия	Усовершенствовал и развил такие музыкальные формы, как симфония и соната. Одновременно горячо популяризировал камерную музыку, которая в значительной мере стала модной именно благодаря ему. Написал 104 симфонии. Был другом Моцарта и учителем Бетховена.
Шютц Генрих (1585—1672), Германия	Один из величайших композиторов добаховского периода. Писал духовную музыку.	**Моцарт Вольфганг Амадей** (1756—1791), Австрия	Великий Моцарт умер в 35 лет. За свою недолгую жизнь написал более 600 произведений. Еще почти ребенком он был известен как блестящий пианист. А став подростком, писал совершенно зрелые, поражавшие изяществом и глубиной симфонии, концерты, оперы, мессы и камерную музыку.
Люлли Жан Батист (1632—1687), Франция	Родился в Италии. Был скрипачом, композитором, актером, танцовщиком и дирижером. Служил при дворе французского короля Людовика XIV, сочинял оперы, балеты и церковную музыку.		
Букстехуде Дитрих (1637—1707), Дания	Игру Букстехуде на органе слушал Бах и многое заимствовал из его стиля. Как композитор сочинял кантаты для богослужений.		

Бетховен Людвиг ван (1770—1827), Германия	Этот одинокий гений, чья карьера пианиста-виртуоза внезапно прервалась из-за поразившей его глухоты, стал сенсацией конца эпохи классицизма. Его стиль поражал мощью, философской глубиной и беспредельной экспрессией. Особенно это проявилось в симфониях и фортепианных сонатах.
Вебер Карл Мария фон (1786—1826), Германия	Особенной популярностью пользовались его красочные увертюры к операм «Волшебный стрелок» и «Оберон».
Россини Джоаккино (1792—1868), Италия	Всемирную славу ему принесли такие оперы, как «Севильский цирюльник» и «Вильгельм Телль». Россини также написал много инструментальных и камерных произведений.
Доницетти Гаэтано (1797—1848), Италия	Знаменитый автор опер, которых он написал около 70. Пожалуй, самыми популярными стали «Лючия ди Ламмермур», «Любовный напиток» и «Дон Паскуале».
Шуберт Франц Петер (1797—1828), Австрия	Великий создатель песен, он был признан только после смерти, настигшей его в 31 год. Его струнные квартеты и симфонии пользуются большой популярностью и в наше время. Особенную любовь слушателей снискали «Неоконченная» симфония и Девятая симфония до мажор («Большая»).
Берлиоз Гектор Луи (1803—1869), Франция	Блестящий и эксцентричный композитор, писавший в высшей степени оригинальную романтическую музыку. Для исполнения некоторых его хоровых или оркестровых произведений порой требуется не одна сотня музыкантов.
Мендельсон Феликс (1809—1847), Германия	Композитор, пианист, органист и дирижер. Сочинять музыку начал еще совсем юным. Мендельсон написал несколько сборников «Песен без слов» для фортепиано, принесших ему широкую известность. Автор популярного концерта для скрипки с оркестром, музыки к комедии Шекспира «Сон в летнюю ночь» и ряда симфонических произведений.
Шуман Роберт (1810—1856). Германия	Был настоящим романтиком, старавшимся выразить в музыке чувства и эмоции. Писал песни, произведения для фортепиано, а также сочинил четыре симфонии, ряд камерных произведений и инструментальных концертов с оркестром.
Шопен Фредерик (1810—1849), Польша	Всю жизнь этот композитор-романтик оставался патриотом своей родины. Написал много произведений для фортепиано: ноктюрнов, полонезов, вальсов, мазурок, сонат, баллад и цикл из 24 прелюдий.
Лист Ференц (1811—1886), Венгрия	В 9 лет Лист уже был пианистом-виртуозом. Прославился своими эффектными и в высшей степени трудными сочинениями для фортепиано. Он считается создателем жанра симфонической поэмы.
Вагнер Рихард (1813—1883), Германия	Оперы Вагнера, которые он называл музыкальными драмами, до сих пор звучат со сцен оперных театров всего мира. Его оригинальные трактовки гармоний, оркестра и вокальных партий положили начало новому направлению в мировой музыке. Среди его произведений — тетралогия «Кольцо Нибелунга», а также оперы «Лоэнгрин», «Тангейзер», «Летучий голландец».
Верди Джузеппе (1813—1901), Италия	Музыка сделала Верди национальным героем Италии. Помимо гениального Реквиема феноменальной славой он обязан своим бессмертным операм «Аида», «Дон Карлос», «Травиата», «Риголетто» и др.
Оффенбах Жак (1819—1880), Франция	Композитор, виолончелист, создатель театра «Буфф-Паризьен», где ставил свои одноактные оперетты, принесшие ему славу («Орфей в аду», «Прекрасная Елена» и др.) Написал оперу «Сказки Гофмана».
Франк Сезар (1822—1890), Бельгия	Работал органистом в Париже. Писал органную, фортепианную, инструментальную и оркестровую музыку, а также оперы, оратории. Автор ряда духовных произведений.
Брукнер Антон (1824—1896), Австрия	Служил кафедральным органистом, преподавал в Венской академии музыки. Его наследие включает 9 симфоний, а также произведения для хора. Много сочинял для органа.
Сметана Бедржик (1824—1884), Чехия	Композитор, дирижер, пианист, творчество которого отличается яркой национальной самобытностью. Писал симфонические и вокальные произведения, а самая известная его опера — «Проданная невеста».
Штраус Иоганн-сын (1825—1899), Австрия	Благодаря своей легкой, изящной музыке прославился как «король венского вальса». Его отец Иоганн, братья Йозеф и Эдуард, а также племянник тоже были композиторами.
Бородин Александр (1833—1887), Россия	Бородин был ученым-химиком, и на музыку у него оставалось мало времени. Поэтому большинство его сочинений было закончено другими композиторами. Так, Римский-Корсаков и Глазунов оркестровали его единственную, но выдающуюся национальную оперу «Князь Игорь».
Брамс Иоганнес (1833—1897), Германия	Музыка Брамса романтична, но с оттенком классицизма. Писал для фортепиано, сочинял камерные произведения, песни, музыку для хора, инструментальные концерты. Им написано 4 симфонии, звучащие и поныне.
Делиб Лео (1836—1891), Франция	Самое известное его произведение — опера «Лакме». Написал музыку к балетам «Коппелия» и «Сильвия», пиццикато из которого завоевало широкую популярность.
Бизе Жорж (1838—1875), Франция	Его прекрасная музыка не была признана публикой вплоть до ранней смерти композитора. На премьере провалилась даже знаменитая «Кармен».
Мусоргский Модест Порфирьевич (1839—1881), Россия	Оставил военную службу ради карьеры пианиста и композитора. Его песни, произведения для хора, оперы (такие, как «Борис Годунов» и «Хованщина») и оркестровые произведения не оставляют сомнений в их истинно русском характере.
Чайковский Петр Ильич (1840—1893), Россия	Богатое наследие снискало композитору всемирную славу. Помимо музыки к трем балетам писал оперы, симфонии и камерную музыку. Его оперы «Пиковая дама» и «Евгений Онегин» ставятся в лучших театрах мира.
Дворжак Антонин (1841—1904), Чехия	Играл на скрипке, органе и был прекрасным композитором. Особенную известность получили «Largo» — часть симфонии «Из Нового Света» и «Юмореска № 7».

Григ Эдвард (1843—1907), Норвегия	В XIX веке стали популярны небольшие фортепианные пьесы. Григ оставил много произведений этого жанра. Он также автор концерта для фортепиано с оркестром и музыки к драме Ибсена «Пер Гюнт».	**Воан-Уильямс Ральф** (1872—1958), Англия	В произведениях этого композитора отчетливо проявляется его любовь к старинной английской музыке и народным песням. Примером может служить его «Фантазия на темы Томаса Таллиса».
Римский-Корсаков Николай Андреевич (1844—1908), Россия	Один из ярких представителей русской национальной школы. Подтверждением тому служат его оперы-сказки («Садко», «Кащей Бессмертный», «Снегурочка» и др.). Оркестровые произведения, такие, как «Шехеразада» и «Испанское каприччио», отличает красочная оркестровка.	**Рахманинов Сергей Васильевич** (1873—1943), Россия	Перу композитора принадлежат четыре фортепианных концерта, рапсодия на тему Паганини для фортепиано с оркестром, многочисленные произведения для фортепиано соло, три оперы, сочинения для хора, симфонические поэмы, камерные произведения, свыше 60 романсов.
Форе Габриель (1845—1924), Франция	Церковный органист и хормейстер. Писал песни и камерные произведения. Одно из самых известных сочинений — «Реквием».	**Холст Густав** (1874—1934), Англия	Интересовался народной музыкой, астрологией, восточными религиями. Все это нашло отражение в его музыке. Сюита «Планеты» — пример великолепной оркестровки.
Яначек Леош (1854—1928), Чехия	Его вдохновляли картины и звуки природы, народные песни. Это нашло яркое отражение в его операх, инструментальной и камерной музыке, а также оркестровых произведениях.	**Айвз Чарлз** (1874—1954), США	В музыке этого композитора соединены популярные мелодии и отрывки из духовных песнопений. Айвз опередил свое время, экспериментируя в области политональности и сериализма. Некоторые считают его первым настоящим американским композитором.
Элгар Эдуард Уильям (1857—1934), Англия	Считается величайшим английским композитором после Перселла. Эту репутацию создали ему оркестровые вариации «Энигма» и оратория «Сновидение Геронтиуса».	**Шёнберг Арнольд** (1874—1951), Австрия	Его творчество — значительное явление в музыке XX века. Многочисленные ученики переняли революционную технику композитора, которая заключается в использовании серии из 12 нот вместо обычной гаммы (метод додекафонии).
Пуччини Джакомо (1858—1924), Италия	Известен как один из самых успешных композиторов, сочинявших в жанре большой оперы. Автор таких опер, как «Тоска», «Мадам Баттерфляй», «Богема».	**Равель Морис** (1875—1937), Франция	Романтик и импрессионист; интересовался испанской музыкой и джазом. Одно из самых известных произведений — «Болеро», в котором композитор продемонстрировал умение использовать все краски оркестра.
Малер Густав (1860—1911), Австрия	Ученик Брукнера, Малер был не только выдающимся композитором, но и оперным дирижером. Написал 9 симфоний и песенные циклы, имеющие успех и по сей день.	**Фалья Мануэль де** (1876—1946), Испания	Великий испанский композитор. Одно из произведений — «Танец огня». Написал балет «Любовь-волшебница», симфоническую поэму «Ночи в садах Испании». Работал с парижской антрепризой Дягилева «Русские сезоны».
Дебюсси Клод (1862—1918), Франция	Композитор-импрессионист; отказался от традиционной гармонии и использовал специально созданные и целотонные гаммы. Это придает некоторым его сочинениям ориентальный характер. Одно из самых известных произведений — «Послеполуденный отдых Фавна».	**Барток Бела** (1881—1945), Венгрия	Изучал народную музыку Венгрии, Румынии и Болгарии. Это нашло отражение на многих его произведениях. Его многочисленные сочинения для фортепиано очень разнообразны. Многие трудны для исполнения.
Штраус Рихард (1864—1949), Германия	Этот выдающийся немецкий композитор любил писать для больших симфонических оркестров. Он автор ряда симфонических поэм, песен и широко известной оперы «Кавалер роз».	**Кодай Золтан** (1882—1967), Венгрия	Совместно с Бартоком собрал много народных песен. В композиторском творчестве опирался на венгерский музыкальный фольклор. Среди наиболее известных сочинений — оркестровая сюита «Хари Янош» и произведение для хора и тенора «Венгерские псалмы».
Сибелиус Ян (1865—1957), Финляндия	В 32 года Сибелиус стал пенсионером и полностью посвятил себя музыке. Его лучшие работы: 7 симфоний, концерт для скрипки с оркестром и симфонические поэмы, навеянные финскими сагами.	**Стравинский Игорь Федорович** (1882—1971), Россия	Писал музыку в разных стилях. Симфонии Стравинского предельно экспрессивны. Сочинял музыку к балетам дягилевской антрепризы «Русские сезоны» в Париже: «Жар-птица», «Петрушка», «Весна священная».
Сати Эрик (1866—1925), Франция	Работая тапером в парижском кафе, друг Дебюсси, Сати писал и серьезную, и развлекательную музыку. В 20-х годах перешел на позиции конструктивизма, собрав вокруг себя молодых композиторов Франции («Аркейская школа»).		

Берг Альбан (1885—1935), Австрия	Как и его учитель Шёнберг, использовал технику додекафонии. Наибольшей известностью пользуются его концерт для скрипки с оркестром и опера «Воццек».
Керн Джером (1885—1945), США	Считается первым автором мюзиклов, самым известным из которых стал, пожалуй, «Плавучий театр».
Берлин Ирвинг (1888—1989), США	Родился в России, но жил в США. Очень популярны его песни, например «Боже, благослови Америку!». Написал мюзикл «Энни, бери оружие!».
Портер Коул (1891—1964), США	Начал сочинять музыку в восьмилетнем возрасте. Написал много песен на собственные, подчас очень остроумные тексты. Из созданных Портером мюзиклов наибольший успех имел «Целуй меня, Кэт».
Прокофьев Сергей Сергеевич (1891—1953), Россия	Учился композиции у Римского-Корсакова. Интересовался классическими музыкальными формами. Автор симфоний, фортепианных концертов, нескольких опер и балетов, шести сонат для фортепиано.
Хиндемит Пауль (1895—1963), Германия	Несмотря на увлечение сериализмом, ценил простоту и ясность музыкального языка. Автор опер, кантат, симфоний.
Гершвин Джордж (1898—1937), США	Прежде чем стать композитором, Гершвин был джазовым пианистом. Элементы джаза неизменно присутствуют в его музыке. Наиболее известны его «Рапсодия в стиле блюз» для фортепиано с оркестром и опера «Порги и Бесс».
Копленд Аарон (1900—1990), США	Разносторонний музыкант, интересы которого простираются от Стравинского до джаза и народной музыки. Все это нашло отражение в его сочинениях. Особой известностью пользуются балеты «Парень Билли», «Родео», «Аппалачская весна».
Роджерс Ричард (1902—1980), США	Писал песни и легкую музыку. Позднее увлекся мюзиклами. Наибольшей популярностью пользовались «Оклахома!» (1943), «Южный Тихий океан» (1949) и «Звуки музыки» (1959).
Уолтон Уильям (1902—1983), Англия	Сочинял оперы и произведения для хора. Но больше всего проявил себя в оркестровой музыке. Так, широкой популярностью пользовалась его оркестровая сюита «Фасад».
Типпетт Майкл (1905—1998), Англия	Может показаться, что корни его творчества уходят в XVII век. Однако в сочинениях Типпетта присутствует и джазовый элемент. Он писал для фортепиано, органа, камерных ансамблей и симфонического оркестра. Сочинял также вокальные произведения.
Шостакович Дмитрий Дмитриевич (1906—1975), Россия	Начал сочинять музыку в девятилетнем возрасте. Впоследствии стал одним из самых выдающихся композиторов XX века. Особое предпочтение отдавал симфонической музыке. Из 15 симфоний наиболее известны 5-я, 7-я, 10-я и 15-я.
Мессиан Оливье (1908—1992), Франция	Определяющими в произведениях Мессиана являются его католическая вера и интерес к пению птиц, а также к восточной музыке. Самые известные сочинения: «Квартет на конец времени», симфония «Турангалила» и фортепианный цикл «Двадцать взглядов на младенца Иисуса».
Кэйдж Джон (1912—1992), США	Ученик Шёнберга, Кэйдж сочинял экспериментальную музыку. В своих сочинениях часто использовал звуки радио, что создавало эффект неожиданности.
Бриттен Бенджамин (1913—1976), Англия	Был почитателем Стравинского и в своих произведениях избегал принципа атональности, присущего школе Шёнберга. Он черпал вдохновение в образах моря и много писал для детей, к примеру, его перу принадлежит опера «Ноев ковчег».
Бернстайн Леонард (1918—1990), США	Находясь под влиянием творчества Шостаковича и Малера, Бернстайн одновременно черпал вдохновение в джазовой и еврейской духовной музыке. Всемирную известность ему принес мюзикл «Вест-сайдская история» (1957).
Берио Лучано (род. 1925), Италия	В своих произведениях он достигает необычного звучания голоса с электронными инструментами. Некоторые из его сценических сочинений («Траектории») требуют от исполнителей непрерывного движения.
Штокхаузен Карлхейнц (род. 1928), Германия	Известен как один из первых композиторов, начавших использовать электронные инструменты. Иногда сочетает их с голосом, создавая совершенно ошеломляющие эффекты.
Уильямсон Малколм (род. 1931), Австралия	Автор опер («Наш человек в Гаване» по Г. Грину и др.), балетов, симфоний, фортепианных сочинений, духовной музыки. Исполнение некоторых вещей требует участия публики.
Бертуистл Харрисон (род. 1934), Англия	Автор опер, вокальных, инструментальных и оркестровых произведений. В некоторых из них используется алеаторика.
Леннон Джон (1940—1980), Англия	Некоторые из песен Леннона («Help») были написаны вместе с Полом Маккартни. Другие же («Imagine»), появившиеся в 1971 году, уже после распада «Битлз», написал он сам.
Ллойд Уэббер (род. 1948), Англия	Ллойд Уэббер является автором музыки ко многим мюзиклам, имевшим шумный успех. Среди них «Иисус Христос — суперзвезда», «Эвита», «Кошки», «Призрак в опере» и «Аспекты любви».

Словарь

Акустика. Наука о звуке.

Акустические инструменты. Инструменты, производящие звуки без электричества.

Алеаторическая музыка. Музыка, основанная на произвольной комбинации звуков.

Альт. Диапазон самого низкого женского или детского голоса.

Ария. Вокальное соло в опере, музыкальном спектакле, оратории или кантате.

Атем. Гимн, торжественная песнь, а также хоровое произведение на библейский сюжет.

Атональная музыка. Музыка, в которой отсутствует тональность.

Баритон. Мужской голос, средний по диапазону между басом и тенором.

Барочная музыка. Изысканный музыкальный стиль, бытовавший в период между 1600 и 1750 годами.

Бас. Самый низкий по диапазону мужской голос.

Битональная музыка. Музыка, написанная сразу в двух тональностях.

Вариация. Проведение измененной темы.

Вибрато. Частые, небольшие колебания в звучании ноты.

Виртуоз. Блестящий музыкант-инструменталист.

Вокальный диапазон. Расстояние по высоте между самой верхней и самой нижней нотой.

Гамма. Порядок расположения нот, на которых строится музыкальное произведение. Между нотами установлены строго определенные по высоте интервалы.

Гамма целотонная. Гамма, состоящая из шести нот с интервалами в один тон.

Гебраухсмузик (бытовая любительская музыка). Появилась в начале XX века и предназначалась для широкой публики, а не только для знатоков.

Генерал-бас. Цифрованный бас. Нотные знаки, расположенные над или под станом, обозначают аккорды, основываясь на которых исполнитель на клавесине может играть аккомпанемент. Получил распространение в XVII—XVIII веках.

Гимн (духовный). Хоровое произведение, исполняемое во время церковной службы.

Григорианский хорал. Средневековое одноголосное церковное песнопение.

Дека. Верхняя часть деревянного корпуса музыкального инструмента, которая усиливает звук.

Джем-сейшн. Репетиция джаз-оркестра, на которой музыканты отрабатывают структуру произведения и согласовывают импровизации.

Диатоника. Система музыкальных звуков, образующих мажорную или минорную гамму.

Динамика. Контраст между громким и тихим звучанием в музыкальном произведении.

Дискант. Юношеский голос до начала мутации.

Импрессионизм. Направление в изобразительном и музыкальном искусстве, возникшее в конце XIX — начале XX века. Название «импрессионизм» происходит от французского слова, означающего «впечатление». В своих произведениях композиторы стремились передать впечатления от увиденного.

Импровизация. Создание музыкального произведения непосредственно во время исполнения.

Инструментовка (оркестровка). Выбор конкретных инструментов для произведения.

Каденция. Эффектный пассаж в инструментальном концерте, когда солист играет без сопровождения оркестра.

Камерная музыка. Музыка для небольшой группы инструментов, где важна партия каждого исполнителя.

Канон. Произведение, в котором исполнители поют или играют одну и ту же мелодию, но каждый голос вступает с определенным опозданием.

Кантата. Вокальное произведение для солистов и хора.

Классическая музыка. Обобщенное определение академической музыки. А точнее — музыки, созданной в 1750—1820 годы, когда музыкальная форма считалась важнее выразительности звучания.

Конкретная музыка. Направление в музыке, появившееся в 1950-е годы. Композиторы записывали естественные звуки на магнитофонную ленту, комбинировали и изменяли их в различных вариантах, а затем переписывали на чистую ленту.

Континуо. Инструмент или группа, аккомпанирующая солисту, чаще всего — в барочной музыке.

Контральто. См. Альт.

Контртенор. Тенор-вокалист, фальцетное звучание голоса которого делает его похожим на женский альт.

Концерт (инструментальный). Произведение, написанное, как правило, в сонатной форме для солирующего инструмента (реже двух или трех) в сопровождении симфонического оркестра.

Концертный строй. Стандартный строй музыкального инструмента, основанной на чистоте 440 герц звука *ля* первой октавы.

Кончерто гроссо. Ранняя форма инструментального концерта, в котором малая группа инструментов контрастировала с оркестром.

Лады. Ладами называли гаммы, использовавшиеся древними греками. Эти гаммы применялись также в григорианской нотации, восточной и народной музыке.

Лейтмотив. В переводе с немецкого — «ведущий мотив». Означает повторяющуюся музыкальную тему, связанную с определенным героем, местом действия или замыслом произведения.

Либретто. Сюжет оперы, балета или оратории.

Лид. В переводе с немецкого — «песня». Этим термином называют песни для солиста и фортепиано XIX века.

Мадригал. Вокальное произведение для нескольких (от двух до шести) голосов без аккомпанемента. Пользовалось популярностью в эпоху Ренессанса.

Меццо-сопрано. Женский голос, по диапазону — средний между сопрано и альтом.

МИДИ. Электронное устройство, которое обрабатывает сигналы, поступающие с одного синтезатора на другой. С помощью МИДИ можно работать сразу с несколькими синтезаторами.

Многоканальная запись. Метод звукозаписи, при котором различные голоса или инструменты записываются на отдельные дорожки, а потом сводятся вместе на микшерном пульте. Таким образом можно получить нужный баланс звучания.

Модуляция. Изменение тональности внутри одного музыкального произведения.

Монодия. Одноголосная мелодия без аккомпанемента.

Минимализм. Стиль, появившийся в 1950-е годы. В основе его лежит повторение одной фразы или звука с небольшими изменениями.

Музыкальная драма. Вид оперы, основанный Вагнером, в котором музыка, текст, драматическое действие и декорации представляли собой одно целое. Музыка при этом звучит непрерывно.

Национальная школа. Направление, возникшее в конце XIX века. Композиторы старались привнести в музыку национальный колорит. В своих сочинениях они цитировали подлинные народные мелодии.

Неоклассицизм. Стиль, появившийся в XX веке. Композиторы использовали современные тональности и гармонии в рамках классических музыкальных форм.

Нотный стан. Строка из пяти горизонтальных параллельных линий, служащая для написания нот.

Обертон. Призвуки, возникающие при колебании части струны или воздушного столба.

Опус. Латинское слово, означающее «труд», «произведение». По номерам музыкальных опусов определяется, в каком порядке композитор создавал свои произведения.

Оратория. Музыкальное произведение на религиозные сюжеты для солистов, хора и оркестра.

Оркестровка. Переложение написанного произведения для оркестра.

Пентатоника. Пятиступенчатая гамма.

Песенный цикл. Собрание песен, объединенных общей темой или являющихся эпизодами одного повествования.

Полиритмия. Одновременное сочетание в музыке двух или нескольких ритмов, которые совпадают по тактам.

Политональность. Одновременное использование нескольких различных тональностей.

Полифония. Музыка, состоящая из различных мелодий, которые развиваются самостоятельно, но, переплетаясь друг с другом, образуют единое гармоничное целое.

Программная музыка. Романтическое музыкальное произведение, в котором рассказывается история или описывается живописное полотно.

Рага. Сочетание нот, используемых в качестве основы для импровизации в индийской музыке.

Разрешение. Смена неустойчивой ноты или аккорда устойчивым.

Резонанс. Вибрация объекта в ответ на звуковую волну от находящегося вблизи источника. Резонанс усиливает громкость звука.

Речитатив. Вокальное соло, мелодический рисунок которого строго следует ритму и интонациям речи.

Ритм-секция. Группа инструментов в джаз-бэнде, которая держит ритм. Инструменты секции могут и импровизировать.

Романтическая музыка. Музыка, вдохновленная романтизмом в литературе XIX века. Для композиторов были важны прежде всего эмоции, а не музыкальная форма произведения.

Серийная музыка (додекафония). Музыка, основанная на серии, которая повторяется в разных вариантах.

Серия. 12 нот хроматической гаммы, служащие основой для создания серийной музыки.

Симфоническая поэма. Большое программное произведение для симфонического оркестра, не разделенное на части.

Симфония. Музыкальное произведение для симфонического оркестра, написанное в сонатной циклической форме.

Синкопирование. Смещение ритмически опорного звука с сильной доли такта на слабую. Это создает интересный эффект.

Соната. Трех- или четырехчастное музыкальное произведение, первая часть которого всегда написана в сонатной форме.

Сопрано. Самый высокий по диапазону женский голос, соответствующий детскому дисканту.

Сурдина. Специальное устройство, служащее для уменьшения силы звука музыкального инструмента, для смягчения звука и изменения тембра.

Сюита. Музыкальное произведение, состоящее из нескольких самостоятельных частей, объединенных общим замыслом.

Тала. Ритмические схемы, используемые в индийской музыке.

Тембр. Характеристика звука инструмента и голоса.

Тенор. Самый высокий по диапазону мужской певческий голос.

Тональность. Соотношение звучания и гаммы, положенной в основу произведения.

Фронт-лайн. Ведущая группа джаз-бэнда, музыканты которой поочередно импровизируют.

Хорал. Разновидность ранних протестантских гимнов.

Хроматизм. Изменение отдельной ноты, но не тональности всего произведения.

Хроматическая гамма. Гамма, состоящая из 12 нот, расстояние между которыми — полутон.

Шпрехштимме. Вокальный стиль, соединяющий ритм и мелодику речи с техникой пения.

УДК 087.5:78
ББК 85.31
Т96

Научно-популярное издание

Джуди Тэтчелл
ДЕТСКАЯ МУЗЫКАЛЬНАЯ ЭНЦИКЛОПЕДИЯ
Перевод с английского В. А. Сазанова

Зав. редакцией *Н. С. Кочарова*
Редактор *Т. Н. Кустова*
Художественный редактор *В. К. Кузнецов*
Компьютерная верстка *Ю. Н. Дородницыной*
Технический редактор *Т. П. Тимошина*
Корректоры *И. Н. Мокина* и *Л. В. Савельева*
Оформление обложки *дизайн-студии «Дикобраз»*

Подписано к печати 26.03.2003 г. Формат 84×108¹/₁₆. Бумага офсетная.
Усл. печ. л 8,0. Тираж 7000 экз. Заказ № 4527.

Общероссийский классификатор продукции ОК-005-93,
том 2; 953004 — литература научная и производственная

Санитарно-эпидемиологическое заключение
№ 77.99.10.953.П.000009.01.03 от 10.01.2003г.

ООО «Издательство Астрель»
143900, Московская обл., г. Балашиха, пр-т Ленина, 81

ООО «Издательство АСТ»
368560, Республика Дагестан, Каякентский р-н, сел. Новокаякент, ул. Новая, д. 20
WWW.AST.RU
E-mail: astpub@ aha.ru

Отпечатано с готовых диапозитивов на ФГУПП
ордена Трудового Красного Знамени «Детская книга» МПТР РФ.
127018, Москва, Сущевский вал, 49.

Тэтчелл Д.
Т96   Детская музыкальная энциклопедия /Д. Тэтчелл; Пер. с англ. В. Сазанова. — М.: ООО «Издательство Астрель»: ООО «Издательство АСТ», 2003. — 63, [1] с.: ил.

ISBN 5-17-011631-4 (ООО «Издательство АСТ»)
ISBN 5-271-03201-9 (ООО «Издательство Астрель»)

Книга знакомит с историей музыки, ее направлениями и видами музыкального искусства, а также с основами нотной грамоты.

УДК 087.5:78
ББК 85.31

Настоящее издание представляет собой авторизованный перевод оригинального английского издания «Understanding music».
Copyright © 1992, 1990 Usborne Publishing Ltd.
First published in 1990 by Usborne Publishing Ltd, 83—85 Saffron Hill, London EC1N 8RT, England.
Все права защищены.

ISBN 5-17-011631-4 (ООО «Издательство АСТ»)
ISBN 5-271-03201-9 (ООО «Издательство Астрель»)
ISBN 0-7460-0302-1 (англ.)

© ООО «Издательство Премьера», 2003
© ООО «Издательство Астрель».
Перевод на русский язык, 2002